Failed Species

Auflösung der Trilogie
oder Randolfs Vermächtnis

Band IV

BoD
BOOKS on DEMAND

Mein Dank gilt deutscher Sprache
und Kultur, in der ich geboren, aufgewachsen
und zu Hause bin

Klaus Windhöfel

Failed Species

Auflösung der Trilogie
oder Randolfs Vermächtnis

Band IV

Bibliografische Information der Deutschen Nationalbibliothek:
Die Deutsche Nationalbibliothek verzeichnet diese Publikation in der Deutschen Nationalbibliografie; detaillierte bibliografische Daten sind im Internet über http://dnb.dnb.de abrufbar.

Herstellung und Verlag: BoD – Books on Demand, Norderstedt

*ISBN: 978-3-7392-**2247-9***

Inhaltsverzeichnis

Bildnachweis:

Tsunamikatastrophe 2011 in Japan; dpa

1

48. Kapitel: Wiedersehen in der Psychiatrie

Ereignisreiche Tage liegen hinter mir, die mit einer halbfreiwilligen Zwangseinweisung in die Psychiatrie begannen. Befinde mich im Augenblick in der gut sortierten Anstaltsbibliothek, dem einzigen Ort, an dem man einige Ruhe und Stille findet, abseits der krankhaften Reden, Schreie, Appelle, wichtigste Botschaften, mit denen sie einen traktieren, der von Ruhelosigkeit geplagten Geisteskranken. Alles lichtet sich, nur, um in ein erneutes Dämmerlicht auszumünden. Habe einen Gedichtband von Hesse zur Hand genommen, den ich sogleich unter dem entsprechenden Buchstaben fand, das Gedicht „Im Nebel" kenne ich seit meiner Jugend; passt haargenau auf meine momentane Lage:

Seltsam, im Nebel zu wandern!
Einsam ist jeder Busch und Stein,
Kein Baum sieht den andern,
Jeder ist allein.

Voll Freunden war mir die Welt,
Als noch mein Leben licht war;
Nun, da der Nebel fällt,
Ist keiner mehr sichtbar.

Wahrlich, keiner ist weise,
Der nicht das Dunkel kennt,
Das unentrinnbar und leise
Von allen ihn trennt.

Seltsam, im Nebel zu wandern!
Leben ist Einsamsein.
Kein Mensch kennt den andern,

Jeder ist allein.

Ja – jeder ist allein! Wie leid hat mir Melite getan! Doch ich sollte erst erzählen, unter welchen Umständen ich ihr begegnet bin. Selbst habe ich oft darüber geschrieben, kritisch, nicht ohne Schauder über die Zustände in der Psychiatrie. Statt Elektroschocks, die chemische Keule; Fixierung ans Bett; Ruhigstellung ist erste Therapiepflicht in Bezug auf die armen Kranken! Was soll ich sagen? Meine Kenntnisse entstammten allesamt der Theorie mit Ausnahme der Besuche bei meinem Bruder, selber ein Dauerkandidat der Psychiatrie wegen seiner starken Depressionen, der mich übrigens seinerseits besucht hat mit meiner Tochter zusammen in unerwartetem Rollenwechsel. Nun berichte ich als ein am eigenen Leibe, vielmehr am Geiste Betroffener. Die Schilderung meines Zustandes, der die Einwesung notwendig machte, erhielt ich von meiner Tochter. Als meine nächste Verwandte, die kurzfristig erreichbar war, war sie maßgeblich an meiner Zwangseinweisung beteiligt. Ich habe wohl mit dem Rücken zur Wand am Ende doch noch der Einweisung zugestimmt und bin so der Geschlossenen entkommen. Gott sei Dank war auf diese zivilisierte Weise eine zeitweilige Entmündigung nicht erforderlich. Ich besitze noch alle meine Bürgerrechte. Ihren Aussagen nach muss es sich um einen totalen Zusammenbruch gehandelt haben, den ich in Etappen erlitt seit meinem Besuch beim Bruder Melites in Hamburg, als es mir noch vergleichsweise gut ging. Am Abend stellten sich massive Panik-Gefühle ein, nachdem ich mehrere Mails empfangen hatte mit unzweifelhaft drohendem Inhalt, dass ich mit einer Anzeige wegen Insiderhandels zu rechnen hätte. Alle Daten einschließlich meiner Spekulationsgewinne, Zeit, Höhe und Ort des Ankaufs, gleichermaßen nur Tage später der ebenso minutiös vermerkte Verkaufsvorgang, waren in den Anhängen enthalten, sodass kein Zweifel über den Absender aufkommen konnte. Außerdem fühlte ich mich permanent beobachtet. Auf die Straße zu gehen, traute ich mich nicht mehr. Was blieb mir anderes übrig, als meine Vorräte zu strecken, so gut ich konnte, und Leitungswasser zu trinken? Die nun folgenden Informationen entziehen sich größtenteils meinem Gedächtnis und bildeten den Hauptgrund für die Einweisung mit anschließender Ruhigstellung. Dass ich mehrere Kopien eines Warnbriefes an die Redaktionen bekannter Tageszeitungen, Magazine, Regierungsstellen des Inhalts gesandt haben soll einer unmittelbar bevorstehenden Katastrophe mit dem nun schon hinreichend bekannten Verschwörungsmuster durch den Orden, zu dem ich Kontakt gehabt, samt deren Mordkomplott gegen ehemalige Mitglieder unter Nennung bekannter Namen einflussreicher, bislang unbescholtener Bürger, mag man noch als Überspanntheit durchgehen lassen, als unkontrolliert abbrennendes manisches Feuer des Sich-zu-Wichtig-Nehmens, dass ich darüber hinaus, so meine Tochter, jedoch auch die unmittelbaren Anwohner und Nachbarn in Geversdorf lautstark belästigt hätte, indem ich sie auf die allgegenwärtige Gefahr eines Komplotts habe aufmerksam machen wollen und sie dabei um ihren Schlaf gebracht hätte, das waren doch ernst zu nehmende und nicht mehr zu übersehende Symptome einer Paranoia mit manischen Zügen. Der Brand- und Warnbrief, an dessen Abfassung ich mich nicht mehr erinnere, enthält eine durchaus belastbare detaillierte Schilderung der Abfolge der bevorstehenden Katastrophe, die mit einem Schwarzen Freitag an den Börsen und mit dem Zerplatzen weiterer Spekulationsblasen eingeleitet wird. Obgleich von einer Amnesie umhüllt, habe ich keineswegs nur Unsinn verzapft. Außerdem hätte ich, so meine Tochter, darauf insistiert, ein auserwählter Prophet zu sein und mich auch in dieser Funktion den Nachbarn aufgedrängt und den Brandbrief im Glauben an dieselbe Identität unterschrieben. Den Propheten trügen wir alle in uns – solches und ähnlich wirres Zeugs hätte ich von mir gegeben. Bei den weitaus Meisten sei das Prophetische gänzlich verschüttet durch die gehirnwaschende Endloswerbung und die Dauerbeschallung mit politischer Reklame. Als mich Frank, schon in Eppendorf, zusammen mit meinem Bruder besuchte, sei ich tätlich gegen Frank geworden; ich hätte ihn in übelster Weise beschimpft als Menschenschinder und als den Opportunisten aller Zeiten, nur auf eigenes Wohl bedacht. Er solle sich zum Teufel scheren. Meine Tochter sagte mir, erst zwei Pfleger und ein Beruhigungsmittel hätten mich besänftigt. Von meinem Arzt weiß ich inzwischen dass als weiterer Grund für die Einweisung noch der verwahrloste Zustand meiner Wohnung kam nebst der Tatsache, dass ich mein Äußeres vernachlässigt hätte, was den Rest gab. Wer sich nicht mehr pflege, sei mindestens stark depressiv. Auf dem Zweibettzimmer der Station IV trat zunächst eine Entspannung ein. Ich erholte mich rasch unter der Gabe von Psychopharmaka. Die Amnesien wurden schwächer, doch waren mir die Einzelheiten, die zu meiner Einweisung geführt haben, lediglich bruchstückhaft ins Gedächtnis zurückgekehrt. Schon merkwürdig, dass man unter diesem tabletteninduzierten Zustand plötzlich alles ganz anders, viel gelassener und gefahrloser betrachtet. Die objektiven Sachverhalte dürften sich ja kaum geändert haben. Der zweite Schlag traf mich dort vor Ort, wo ich es am wenigsten erwartet hätte. Die Wirklichkeit entglitt mir nun vollends. War es wirklich Melite, die mir dort auf dem Flur zum Esssaal begegnete? Sie war nur noch ein Schatten ihrer selbst. Oder existierte dieses Phantom nur in meiner Einbildung? Wenn sie es war, dann konnte nur ein seltsamer Zufall uns an diesem Ort zusammengeführt haben, dann war dieser Ort Metapher oder abschließendes Symbol einer ganzen Geschichte. Wir begegneten uns schließlich an keinem neutralen Ort. Jenseitige Höllen gab es gewiss nicht mehr, aber unter den zahlreichen diesseitigen Höllen nimmt die Psychiatrie immer noch eine Sonderstellung ein, auch wenn ihre Methoden bei weitem nicht mehr so inhuman sind wie die Elektroschocks und die Bäder in eiskaltem Wasser vor zwei Jahrhunderten. Melite schaute immerzu auf den Boden. Sie hatte kaum noch Ähnlichkeit mit der lebendigen, natürlichen Schönheit, als die sie mir einst im Auditorium der Hamburger Universität während meines Vortrags über das Anthropische Prinzip auffiel. Mir erschien diese Erinnerung wie aus einem fernen, längst gelebten Leben. Extrem schmal, fast magersüchtig, die Wangenknochen hervorstehend, eingefallen im Gesicht, die Haut teigig und schwammig über die Knochen hängend, mit unsicherem Gang, die Augen geschlossen. Als wir uns direkt gegenüber standen, blickten mich kurz zwei erloschene Augen aus tiefen Höhlen an; daraufhin verbarg sie ihr Angesicht rasch hinter dem rechten empor gewinkelten Unterarm. So ging sie weiter in künstlicher Blindheit, als ob sie das Elend der Welt nicht mehr sehen könnte, zum Speisesaal. „Hallo Melite!" Ich versuchte sie anzusprechen; ging neben ihr her. Sie wehrte heftig meine Nähe ab; wollte auch nicht, dass ich mich neben sie setzte. Ich schlich traurig von dannen wie ein geprügelter Hund; der Appetit war mir vergangen.

Als ob ich es geahnt hätte. Den letzten Brief Odins, überschreiben mit „Melite", öffnete ich erst jetzt. Ich trug ihn immer bei mir seit dem Empfang aus dem Briefumschlag von Odins Tochter, nachdem ich den großen Umschlag zum ersten Mal im Auto geöffnet hatte. Ich vermutete eine unangenehme Überraschung. Deswegen zögerte ich wohl seine Lektüre so weit wie möglich hinaus. Das mag zu meinem instabilen Unruhezustand durchaus beigetragen haben oder bereits Folge von ihm gewesen sein, beides gleichermaßen, denn jeder zweite Gedanke richtete sich auf den vorgeblichen negativen Inhalt des Briefes, der mich vermutlich aller meiner Illusionen berauben würde. Ich wollte mich, so wird es gewesen sein, nicht einen Moment von meinen Träumen und Vorstellungen der einzigartigen Liebe Melites trennen und sie bis zum letzten unaufschiebbaren Moment auskosten bis das Gefäß seinen allerletzten Tropfen würde abgegeben haben. Ist die glutflüssige Lava des Werdeprozesses erst einmal erstarrt und erkaltet, so ist in Vergangenheit überführt, was vorher lebendige Hoffnung war, und der Tod starrt aus leeren Augenhöhlen, vormals voller sprühendem Leben. Das Realitätsprinzip führt das Regiment. Früher oder später musste ich mich ihm stellen. So ist die eiserne Struktur der Welt!

Als ich eine zeitlang zusammengesunken auf meinem Bett gesessen hatte, unfähig zu weinen, geschah wieder etwas Unerwartetes. Nach einem zögerlichen Klopfen kam Melite zur Tür herein. Ich umarmte sie, während sie kühl und distanziert blieb. Ich rückte einen Stuhl zurecht. „Du hättest mich so nicht sehen dürfen." hauchte sie. „Ich bitte Dich! Du bist offensichtlich krank, wie ich auch. Wir sind beide erkrankt; das Schicksal hat uns zusammengeführt. Unsere Solidarität ist stark. Ich liebe Dich!" „Hast du nicht den Roman gelesen, den ich Dir einmal geschenkt habe? Der Mythos von Melusine? Das Beobachtungstabu!" „Ich kann mich nur entfernt daran erinnern; doch was kümmert mich der Mythos; ich glaube nicht an Tabus! Wir sind reale Menschen und lieben uns!" „Lies den Brief, den Odin über mich geschrieben hat!" „Woher kennst du Odin? Woher weißt ..." Sie versuchte schwach zu lächeln. Eine Schwester kam herein: „Frau von Wehrenfels, denken Sie an ihre Tabletten.“ Melite hatte motorische Schwierigkeiten mit der Einnahme der vielen bunten Pillen und offensichtlich auch Schluckbeschwerden, die sie daran hinderten, die Tabletten zügig mit Wasser ihrer Wirkungsstätte zuzuführen. „Ich habe die Lektüre immer weiter aufgeschoben.“ „Nun ist die Zeit gekommen!“

Mit zitternden Fingern öffnete ich den Umschlag, ein kurzes Aufschluchzen verriet meine innere Bewegtheit, Odins Handschrift war zu erkennen. Ich schaute in das kleine Gesichtchen von Melite, die jetzt wie ihre eigene Großmutter aussah. Sie bedeutete mir, laut den Inhalt vorzulesen und schloss die Augen dabei.

„Lieber Randolf, wenn Du diesen Brief jemals in Händen halten wirst, wird vieles zu spät sein, einiges jedoch ist nie zu spät und kann korrigiert werden. Was mein Leben anbetrifft, so wird es zu diesem Zeitpunkt mit großer Wahrscheinlichkeit verloschen sein, nicht auf natürlichem Wege ausgehaucht, sondern gewaltsam beendet. Ich muss nicht mehr auf die Details eingehen. Du bist eingewiesen in die zwei Gesichter des Ordens. Zunächst: Halte Dich von Melite von Wehrenfels fern! Als wir in Bremen in dem Café saßen und Du mir von Deiner Liebschaft erzähltest, erschrak ich nicht wenig. Ich wollte, ich hätte Dich damals schon gewarnt. Ich tat es nicht, um Dich eigene Erfahrungen machen zu lassen und nicht zuletzt warnte ich Dich deswegen nicht, weil es zweifellos eine erhabene und wunderschöne Phantasiewelt ist, in welche Dich Melite oder Melusine einführen würde mit ihrer ungeheuerlichen hypnotischen Kraft. Bei mir ist sie so weit nicht gegangen, wahrscheinlich war ich für ihre Suggestionen nicht so empfänglich...“ Ich schaute vom Brief auf; Melite schlug die Augen auf, nickte leicht und ließ den Kopf wieder auf die Brust sinken. „Um es vorwegzunehmen: Nichts geschieht in diesem Orden zufällig. Alles ist bis ins Kleinste vorgeplant. Du hast doch wohl nicht an einen Zufall geglaubt, als die drei Gestalten bei Dir in Geversdorf aufkreuzten und Dich sozusagen engelhaft auf übernatürlichem Wege in die pädagogische Außen-Abteilung des Ordens beriefen oder als Melite rein zufällig im Auditorium saß...“ „Du kanntest Odin?“ „Ja, ich war eine zeitlang auf ihn angesetzt; sollte ihn für unseren Orden gewinnen, was mir auch in kurzer Zeit gelang. Doch meine Zauberkraft war nicht stark genug, ihn dauerhaft an mich zu fesseln. Wie Du weißt, sind die Wehrenfels geborene Mitglieder des Ordens. Mit Zugang zum innersten Zirkel. Das ist die Ebene der Erleuchteten oder Perfecti, die nochmals differenziert ist. Unsere Familie bekleidet wegen ihres Einflusses und Vermögens den Kreis der Regenten und Magier. Unsere Vorfahren waren alle Mitglieder. Ich bin sozusagen in diesem Orden groß geworden. Meine Freizeit, erste Lernerfolge, Wanderungen und Reisen – diese wunderbare Einführung in die Vielfalt der Lebenswelt habe ich den Organen des Bundes zu verdanken. Doch lies bitte weiter!" „... Ich kenne Melite schon sehr lange. Als sie noch ein kleines Mädchen war, begann sie zu zaubern und befasste sich mit Magie. An sich ist das für Kinder nicht ungewöhnlich, deren Phantasie noch nicht so eingeengt ist wie bei den Erwachsenen. Doch bei ihr verlief das anders. Ich merkte, dass gewisse Mitglieder des Ordens sich intensiv um ihre Fähigkeiten kümmerten und dieses ursprünglich Kindlich-Naive und Natürliche in bestimmte ernstere Bahnen lenkten und die Kräfte Melites, über die sie natürlicherseits in höherem Maße verfügte als der normale Altersdurchschnitt, zu manipulieren begannen. Du wirst nach den Intentionen und Zielen fragen. Glaube Melite bitte nicht, wenn sie beteuert, sie sei das Opfer und man habe ihre Zauberkräfte missbraucht. Sie ist selbst eine der Initiatorinnen eines Zweiges des Ordens, der zwar von Anfang an da war, jedoch im Laufe der Zeit von Vernunft und ordentlicher praktischer Lebensbildung überwuchert worden ist. Diesen verborgenen Zweig weckten einige Mitglieder des Ordens zu neuem Leben, unter ihnen federführend Melite. Der Melusine-Mythos ist ja kein unschöner. Die Wassernixe hat ein Geheimnis, an das man eben nicht rühren darf. Tut man es, so bricht der Zauber zusammen. Melite ist eine Zauberin; eine Magierin; sie vermag zu bezaubern und zu behexen. Notabene: Du kennst mich als einen nüchternen Naturwissenschaftler; aber glaube mir, die Wissenschaften von der Natur beschreiben nicht ein Hundertstel der uns umgebenden wahren Wirklichkeit. Es gibt Einflussnahmen aus einer kryptischen Welt, die ich selbst mehrfach erlebt habe und die ein Naturwissenschaftler nicht wagen darf, auch nur anzusprechen. Als Kind war sie schon bezaubernd und hat ihre Reize rücksichtslos eingesetzt; mit anderen Worten: Sie verdrehte nach Belieben Männern den Kopf. Um kein Missverständnis einschleichen zu lassen: sie verfügte über eine hohe erotische Ausstrahlung, die ihr meines Erachtens auch bekannt war; sexuelle Praxis spielte dabei keine Rolle. Um es auf den Punkt zu bringen: Von altersher wird vor der Zauberei gewarnt, in der Bibel und anderswo mit derselben Intensität. Die Zauberer, Geister- und Totenbeschwörer sollten im Alten Testament gesteinigt werden, weil sie von Gott abgefallen waren. Als König Saul zu der Totenbeschwörerin von Endor geht, um den Geist des Propheten Samuel herbei zu rufen, ergeht es ihm danach sehr schlecht. So konnte Melite nicht nur weiße Magie betreiben, ohne früher oder später von der schwarzen, bösen Seite dieses Unterfangens affiziert zu werden. Das Pendant zu der guten und harmlosen Wassernixe ist Hekate, die jeweils in drei Gestalten auftreten kann und Böses im Schilde führt. Aus der Parapsychologie als Grenzwissenschaft sind viele ASW-Phänomene bestätigt worden, inzwischen auch durch ernstzunehmende experimentelle Belege. Ich habe immer begrüßt, dass der Orden diese Grenzwissenschaften in sein Forschungs- und Ausbildungsprogramm integriert hat. Zwischen der forschenden Neugier einerseits und der Praktizierung von allerlei Okkultem mit dem Ziel der Weltbeherrschung und der religiösen und metaphysischen Beeinflussung der Menschen besteht allerdings ein himmelweiter Unterschied. Du kennst meine Meinung zu dem Orden, die gut recherchiert ist und von der ich nicht abweichen werde. Sobald ich an die Öffentlichkeit gehe mit den einschlägigen Namen, ist mein Leben keinen Pfifferling mehr wert. Nicht auszuschließen, dass der Orden vorher schon mein Leben gewaltsam beenden wird, weil er sich mein weiteres Vorgehen denken kann. Ich habe das nicht mehr in der Hand. Ich will Dein Gewissen, lieber Randolf, nicht belasten. Dich mit der Auflage zu beschweren, mein Werk fortzusetzen, wäre eine unzulässige und höchst egoistische Bitte. Ich war schon früh assoziiertes Mitglied des Ordens, bevor ich viel später erst in die höheren Grade der Freimaurerei aufstieg. Wie Du schon weißt, hatten die Ordensoberen ein ausgesprochenes Interesse daran, für ihre Pläne der Beherrschung der Weltökonomie, sich mit den Gewerkschaften zu verbinden und zu versöhnen. Von mir nahmen sie mehr oder weniger mit Recht an, dass ich in der Gewerkschaftsbewegung hohe Funktionen bekleiden würde. Sozusagen im Vorausblick auf meine spätere Karriere. Der Ehrlichkeit halber sei´s gesagt: Ich habe den Bildungseinrichtungen des Ordens viel zu verdanken und dank seiner Verbindungen stieg ich schnell auf innerhalb der Gewerkschaft und bekam darüber hinaus ein wichtiges politisches Mandat. Ungesetzliches zu tun, hat man nie von mir verlangt. Dies kennzeichnet die Strategie des Ordens. Die Institutionen unterwandern und besetzen mit den eigenen Leuten; diese wiederum tun automatisch von sich aus das Ordengemäße, weil sie von ihm erzogen wurden und alle geistigen Inhalte und Ideen tief in ihr Herz gepflanzt werden. Es bedarf keiner Befehle oder Drohungen. Falls ich weiterhin die Ideale des Ordens vertreten würde, so wäre ich mit Sicherheit bereits in den innersten Führungszirkel aufgestiegen. Man hat den Gewerkschaften in der neuen Epoche, die sie herbeiführen wollen, eine durchaus wichtige und ehrenwerte Position zugedacht, wertvoller als diejenige, die sie jetzt in der pluralen Gesellschaft innehaben. Ihre Idealvorstellung von Gesellschaft stammt aus der Neoromantik; sie bedürfe einer starken Struktur; je weiter man in die oberen Ränge aufsteigt, desto perfekter müssen die Leiter und Regenten sein. Wenngleich das Geld auch Machtmittel sein wird, so wird es nach ihren Vorstellungen nicht mehr jene zentrale Führungsrolle einnehmen wie in der gegenwärtigen kapitalistischen Verfassung. Die Regenten müssen also charakterlich und sittlich höher stehen. Im Gegensatz zum demokratischen gleicht der angestrebte Zustand einem organischen-natürlichen. Wie Du weißt, ist dies ein Rückschritt hinter die Ideale der Gewaltenteilung. Natürlich steht der alte Adam Weißhaupt dahinter. Sie beziehen sich gern in ihrer Eitelkeit auf den Illuminatenorden, der nur 10 Jahre Bestand hatte, den sie angeblich im Untergrund fortgeführt hätten. Ich halte dies für Legende. Wie dem auch sei, dadurch, dass sie im Verborgenen arbeiten, sind sie gefährlich und undemokratisch. Warum machen sie ihre Anliegen nicht zu einem Parteiprogramm? Ich muss Dir, lieber Randolf, die Gründe meiner Gegnerschaft zum Orden nicht mehr im Einzelnen ausführen, da Du sie kennst. Sie liegen im ideellen und geistigen Bereich, nicht in erster Linie darin, dass ich die Fahne der Demokratie vor mir hertrage. Auch sie hat als bloße Regierungsform leider entsetzliche Schwächen. Herzlichst in überweltlicher Verbundenheit, Dein Odin – mögen wir uns in einem späteren Leben wiedersehen, in einer idealeren Welt, in welcher sich dann selbst die Götter der Demokratie verpflichtet wüssten, weil sie tatsächlich die beste unter den Regierungsformen ist, nachdem ihre Kinderkrankheiten geheilt sein werden und der Mensch im Bildungsstand gehoben erscheinen wird."

Nach der Lektüre muss ich wohl so ausgesehen habe, als sei ich schlagartig um Jahrzehnte gealtert. Ich sah alle Illusionen wie eine große Glaskaraffe zu Boden gleiten und in unzählige Stücke auseinanderbrechen. Traurig schaute ich Melite an. „Stimmt das, was Odin über Dich schreibt?" „Ja, es ist alles wahr!" „Ich verstehe nicht, inwiefern man Dich auf mich angesetzt hat. Ich bin im Gegensatz zu Odin unbedeutend. Ich habe nie die Aussicht gehabt auf ein wichtiges Amt und war selbst an der Schule kein Funktionsträger. Darf ich dich noch etwas Privates fragen? Waren auch Deine Gefühle zu mir nur vorgeheuchelt von jemandem, der Erfolg haben wollte?" „Nein, Randolf, das musst Du mir bitte glauben, als ich Dir erstmalig begegnete, damals in Hamburg, war mein Verhalten Dir gegenüber berechnend und von Erfolgsstreben geprägt. So habe ich stets meine weiblichen Reize eingesetzt, um meine Ziele zu erreichen – bitte sei mir nicht böse. Deine Ehrlichkeit und Dein Charme haben mich betört, sodass ich mich bis zu einem bestimmten Grade in Dich tatsächlich verliebt habe." „Bis zu einem bestimmten Grade? Das hört sich an, als habest Du Deine Gefühle total unter Kontrolle." „Gleich werde ich Dir Näheres über den Zweck des Bundes verraten, an den ich mit Leib und Seele glaube. Dann wirst Du besser verstehen, dass ich mich als Werkzeug fühle von höheren Mächten, nicht von den Ordensoberen – die haben mir im Grunde nichts zu sagen, sondern eher umgekehrt: ich gebiete ihnen! – dann wirst du verstehen, dass ich meine Gefühle kontrollieren muss. Noch einmal: Du bist etwas Besonderes. Unser Verhältnis war echt. Ich habe Dich immer noch lieb und das wird sich nicht ändern. Doch habe bitte Verständnis dafür, dass ich nun eigene Wege gehen muss, da wir uns an wichtigen Wegscheiden befinden. Betrachte unser intimes Verhältnis als aufgelöst, nicht jedoch unser ideell-freundschaftliches. Als ich zu Deinem Vortrag nach Hamburg kam, war ich zwar vorinformiert; da ich mich auch damals schon als freien Menschen betrachtete, hatte mich keiner auf Dich <angesetzt>, wie Du es nennst. Außerdem wäre das gar nicht nötig gewesen, da ich selbst recht genau meine Okkasionen und Pflichten einzuschätzen weiß, die mir nicht der innere Führungszirkel auferlegt, sondern die geistigen Ideen und Richtlinien des Ordens. Ich las Deine Internetseite, auf die mich eine ehrgeizige Studentin aufmerksam machte, die sich bei mir einschmeicheln wollte. Ich hielt damals ein Einführungsseminar über philosophische Anthropologie. Dazu passten wirklich sehr genau die Inhalte, die ich auf Deiner Homepage studierte. Das Thema „Anthropisches Prinzip" löste in meiner Innenwelt eine Kaskade von Neugier aus, die in Fragen mündete, die ich selbst nicht beantworten konnte. Da bot sich Dein Vortrag an. Ob Du es nun glauben magst oder nicht, es war wirklich ein intensives Verlangen im Spiel, ein Angezogenwerden von bestimmten Inhalten, die ich ja erst erahnte, aber noch nicht kannte, namentlich Deine These von den kosmischen Wesenheiten, die den Urknall ausgelöst haben und die unsere Schöpfer sind, davon, darin wirst Du mir Recht geben, vermochte ich vor dem Vortrag gar nichts zu wissen, weil diese These auf Deiner Website gar nicht zu lesen ist. Solche Vorahnungen sind jedoch äußerst real. Ich wusste, besser: ahnte, da kommt noch etwas ganz Wichtiges. Solcherart Verbundenheit funktioniert nur bei auf höherer Ebene geistesverwandten Menschen. Von daher wurde ich auch von Deiner Person angezogen, selbst dort schon, als wir uns noch nicht gesehen hatten. Während des Vortrags imponierte mir Dein Engagement. Man merkte Dir an, wie leidenschaftlich Du dieses Thema angehst und wie es Dich verändert hatte. Ja, wir sind Geistesverwandte! Mag sein, dass Du auch schon viele Leben hinter Dir hast und durch viele Entwicklungsstufen nach oben in den Bereich ewigen Lichtes geschritten bist. Gleichwohl: Ich war mental wesentlich stärker als Du. Das wurde mir gleich nach dem Vortrag im lockeren Gespräch deutlich. Du ließest Dich leicht führen und beeinflussen. Bitte verstehe das nicht als Manipulation! Das wäre außerdem Widersinnig. Wie sollten sich

Geistesverwandte gegenseitig bekämpfen oder manipulieren? Ich entdeckte bei Dir allerdings viel verdeckte Frustration, beispielsweise Dein Burnout an der Schule lag zu einem Teil sicher auch daran, dass Du nicht genügend Wertschätzung erhieltest. Deine eigentlichen Leistungen und Fähigkeiten wurden weder von den Schülern noch vom Schulleitungsteam gewürdigt. Du zogst Dich irgendwann in den Schmollwinkel zurück, stelltest Deine öffentlichen Engagements restlos ein und zogst Dich hinter dicken Gefängnismauern zurück. Leider war das ungewollt Dein Untergang. So traf ich Dich an, und so ging ich mit Dir um: behutsam, Deine wirklichen Fähigkeiten verstärkend, ja erst einmal wollten sie entdeckt werden und Deine Talente hast Du sehr gut versteckt. Es geht beileibe nicht nur um Deine intellektuellen Fähigkeiten und um Deinen Bücherschrank. Du lebtest ja regelrecht auf in idealer Atmosphäre; Du warst durchaus in der Lage, dialektisch zu disputieren und fühltest Dich von konträren Positionen und Auffassungen nicht bedroht. Deine Zurückgezogenheit und Einsamkeit, Deine öffentliche und eingebildete Bedeutungslosigkeit machte Dich zu etwas Außergewöhnlichem. Anfänglich glaubte ich gar nicht recht, was alles so in jemandem stecken kann, der eher im Verborgenen wirkt. Glaube mir: es gibt eine übernatürliche Verbundenheit von Gleichdenkenden und –gesinnten. Das gilt selbst für unseren Freund John Smith. Ich habe es sehr genossen, wie Du Dich unter meinen Fittichen verändert hast. Du verlorst Deine Bitterkeit. Deine Muskulatur entkrampfte, und im Liebesakt vermochtest Du dich komplett zu entspannen. Das war für mich als Frau und Heilsbringerin ebenfalls sehr erfreulich. Ich war und bin immer noch überrascht wegen der Fülle Deines Wissens, von dem Du Dir das meiste selbst beigebracht hast. Respekt! Gratulation! Dein Äußeres, der Altersunterschied, die Art, wie du Dich kleidest, die Tatsache, dass Du am öffentlichen Leben nicht teilnimmst, hat mich keineswegs abgestoßen. Im Gegenteil: Beim Opernbesuch fiel mir Deine Gehemmtheit auf. Du wusstest einfach viele Dinge nicht, die auf diesem Parkett gang und gäbe sind. Du warst nicht in der Lage, in der Pause Belanglosigkeiten auszutauschen. Ich glaube, Dir hätte es weitaus weniger ausgemacht, einen Vortrag aus dem Stehgreif über das AP zu halten, als ein paar Nettigkeiten am Stehtisch mit Fremden auszutauschen. Trotzdem wirktest Du recht niedlich in Deiner Schüchternheit. Unbewusst war das wahrscheinlich Deine Methode, Sympathien zu erlangen. Wie gesagt: mich hat´s nicht gestört, aber auch nicht besonders angesprochen. Ich mag eigentlich nicht, wenn man sich unter Wert verkauft. Wie war das noch mit dem Gleichnis von den anvertrauten Pfunden? Die aalglatten Karrieretypen, die im Luxus schwelgen und von denen jedes zweite Wort gelogen ist, haben mich immer schon auf den elterlichen Empfängen und öffentlichen Veranstaltungen unserer Unternehmensgruppe nach kürzester Zeit gelangweilt und ich hatte nicht selten Probleme, mich ihrer Zudringlichkeiten zu erwehren. Zwei drei spitze Bemerkungen zu den neuesten Veröffentlichungen in elaborierter Akademikersprache, von mir auswendig vorgetragen, fehlerlos und mit Fremdwörtern garniert und sie glotzten mich wie Kühe an, als ob ich gerade von der Wega eingeflogen worden wäre; in der Regel zogen sie sofort ihren Schwanz ein. Was wollen die mit Frauen anfangen, die mehr wissen als sie? Meine Brüder sprangen mir oft Gott sei Dank zur Seite, bei denen, die mir zu nahe an die Haut gingen. Ich begeistere mich für jene starken Individuen, die bereit und in der Lage sind, Einsamkeit, Stille und die fehlende Bedeutungszuweisung von der Gesellschaft auszuhalten und zu ertragen. Nur sie gelangen zu nennenswerten geistigen Neuerungen, der Wahrheit verpflichteten Schlussfolgerungen und originellen Ideenverknüpfungen bei ihrer aufmerksamen Sondierung der Altertümer. Überlege es Dir gut: Falls ich Dir nun die Wahrheit sagen soll, wie es um meine Person und Aufgabe bestellt ist, wirst Du sterben. Du siehst, dass ich Dich nicht manipuliere. Ich bin ganz ehrlich. Bitte nimm das nicht auf die leichte Schulter, was ich Dir jetzt mitteilen werde. Nicht viele Menschen haben bislang diese Wahrheit über mich zu hören bekommen. Ich genieße die höchsten Initiationen, gehe schon seit ewigen Zeiten in verschiedener Gestalt durch die Welt. An dieser Stelle wird es todernst. Glaube mir bitte, dass das kein Spiel ist. Wir bewegen uns in metaphysischen Regionen, von denen ein Durchschnittsbürger – selbst Du nicht! – nicht die geringste Vorstellung hat. Dort bin ich die Weisungsempfängerin. Die metaphysischen Konferenzen und der ideale philosophische Zirkel waren dagegen nur ein harmloser Kinderspaß. Die

Realität des metaphysisch Bösen wurde komplett ausgeklammert ...“ „Du warst Das Mädchen, das den Second-Strike auslösen sollte ...“ „Bitte! Jetzt ist keine Fragestunde! Bald wirst Du mich nicht mehr sehen. Nur so viel: Hüte Dich vor den übernatürlichen Wesenheiten, die wirklich Einfluss haben – in jeder Hinsicht. Dagegen sind die Führungsmitglieder des Ordens auch nur Waisenknaben. Viele von denen betreiben das alles nur als ein interessantes Spiel oder sie sind scharf auf Macht, Geltung und Vermögen – verirrte Charaktere, die den Ernst der Lage nicht in kleinsten Ansätzen verstanden haben.“ „Du weißt mehr über das <Anthropische Prinzip> und über unsere Schöpfer, die Außerkosmischen, als Du zugeben willst ...“ „Wie gesagt: Ich darf Dir nicht mehr sagen. Das hängt mit dem Grad der Einweisung zusammen. Natürlich weiß ich mehr, als ich Euch gegenüber zugab; der Ansatz mit Deinem AP ist zwar originell, aber nur zum Teil richtig ... Auch konnte und durfte ich als Wissenschaftlerin immer nur das sagen und publizieren, was zu den allgemein anerkannten Spielregeln gehört. Doch ... Schluss, Schluss! Dringe nicht weiter in mich ein! Ich habe schon zuviel gesagt, habe mich durch eine Verbindung der Liebe verführen lassen, die nicht mehr besteht. Glaube mir ... für mich sieht der Orden zuweilen wie eine Kinderspielwiese aus, weil viele seine wahren geistigen Ziele nicht mehr ernst nehmen ... nur das noch, weil ich ohnehin schon zu viel verraten habe – siehe es als Erweis der immer noch bestehenden geistig-ideellen Liebe zu Dir an: dieser Orden besteht schon seit ewigen Zeiten, was selbst die offizielle Historie des Ordens nicht hergibt – es verhält sich in etwa so, wie bei der ekklesia invisible, an welche die ersten Christen glaubten. Die eigentliche, wirkliche Kirche ist unsichtbar, die Kirche des Auferstanden, das irdische Gebilde ist nur ein schlechter corpus permixtum, in dem sich alles Mögliche tummelt und die seltsamsten Schismen durchgeführt werden um Nichtigkeiten. Kurzum: alles, was zählt und in Reinkultur erhalten bleiben muss, ist geistig, metaphysisch, unsichtbar. So verhält es sich auch bei unserem Orden. Nenne ihn wie Du willst, Freimaurer, Rosenkreuzer, Illuminati, Bilderberger ... er hat von jedem etwas. Die eigentliche steuernde und leitende Elite befindet sich in anderer Welt, ist unsichtbar und hat ganz andere Kämpfe zu bestehen, von denen die Fleischlichen keine Vorstellung haben. Obzwar der Orden in Teilen aus meiner Sicht ein Kinderspielplatz ist – es gibt zwar einige geistig Initiierte, wir kennen uns natürlich und bilden den eigentlichen Führungszirkel, aber die meisten glauben eher an den schnöden Mammon. Selbst Odin, ein hoch spiritueller Mensch, kannte nur die materielle Seite des Ordens und spricht von ihrem Bildungsauftrag in Engelszungen. Also noch einmal: Kinderspielplatz ja, jedoch werden die Kinder aggressiv, wenn man ihr Spielzeug wegnimmt. Der Orden hat weitreichende Verbindungen. Man geht bei kleinsten Verdachtsmomenten lieber auf Nummer Sicher. Und glaube mir: die beseitigen Apostaten so, dass nichts von ihnen übrigbleibt. Deswegen sollst Du dich jetzt entscheiden. Ich stelle Dir die Entscheidung frei, obwohl ich den Eindruck habe, dass Du Dich bereits vorhin entschieden hattest, als ich mehr sagte, als mir gestattet war. Vom metaphysischen Standpunkt aus weißt Du bereits viel zu viel. Es darf nicht zu Verunreinigungen des Spirituellen kommen, was dann der Fall ist, wenn Nichtinitiierte von geringeren spirituellen Ebenen ein Wissen erlangen, das sie überfordert oder auseinanderreißt. Falls Du weiter leben willst, würde ich meine Brüder bitten nach Art eines Zeugenschutzprogramms eine völlig neue Identität für Dich zu beschaffen. Wir würden Dich mit genügend Geld ausrüsten, aber Deine Habseligkeiten samt Deinem Haus in Geversdorf müssten verkauft werden. Deine Bücher wirst Du Dir am Zielort – irgendwo im Ausland weit weg von hier – erneut kaufen müssen. Es darf nicht die geringste Verbindung zwischen Deinem neuen und Deinem abgebrochenen alten Leben existieren. Der Orden arbeitet global. Wenige Telefonate, Mouseclicks oder ein lebendiger Bote, geschickt in Länder, die sie noch nicht vollständig infiltriert haben, und Du bist erledigt. Da sie legal operieren und an den höchsten Stellen in Geltung stehen, arbeiten sie effizienter als das organisierte Verbrechen, was sie nicht hindert, gelegentlich auf deren Dienste zuzugreifen. Mich würdest Du niemals mehr wieder sehen – jedenfalls nicht in diesem irdischen Leben…“ Von dem Augenblick an zweifelte ich ernsthaft an ihrem Verstand. Immerhin befanden wir uns in der Psychiatrie. Natürlich wollte ich die Wahrheit wissen. Deswegen ging ich zum Schein darauf ein, dass mir der Tod die Wahrheit um uns beide und um ihren mysteriösen Auftrag wert sei.

Immerhin hatte mich Melite einige Male dramatisch belogen, unerhört für ein liebendes Paar.

„Begehrst Du die Wahrheit, so musst Du unweigerlich sterben. Ich selbst werde dafür sorgen. Wir sprachen schon davon: Bei den Ordensoberen bist du in Misskredit geraten. Wer sich zu einem Abtrünnigen hält, ist selber einer und muss beseitigt werden. Obwohl ich Dich nach wie vor liebe, steht dieses Gesetz an erster Stelle und ich werde die höheren Ziele des Ordens auf keinen Fall gefährden. Darum sage ich es Dir in aller Offenheit: Ich werde Dir nicht zur Flucht verhelfen, weil ich dadurch auch meine Sache gefährden würde. Wir wissen beide, dass das Leben mit Sterben und Tod keineswegs zu Ende geht. Wir sprachen oft davon in den intimsten Augenblicken. Wir gelangen unter bestimmten Bedingungen wieder zur Welt. Von daher besteht kein Grund, sich vor dem Tod zu fürchten. Ich war nicht immer ehrlich zu Dir. Mein Verhalten diente der höheren Sache. Deswegen erschienen mir die Lügen gerechtfertigt. In diesem Punkt sage ich Dir die ungeschminkte Realität: Als Du Odin in meiner Gegenwart und gegenüber dem Vorsitzenden erwähntest, war Dein Schicksal besiegelt. Wir dürfen nicht das geringste Risiko eingehen. Da Dein Leben bald zur Vollendung kommen wird, kann ich Dir die ganze Wahrheit nun mitteilen. Odin hat Recht. Er hat zutreffend erkannt, dass ich nicht das kleine Opfer bin, als das mich auch manche Mitglieder des Bundes und vor allen Dingen meine Brüder und Eltern gerne hinstellen. Im Augenblick bin ich aufgrund des extremen Tablettenkonsums keine attraktive junge Frau mehr. Ich hoffe, dass sich dies bald wieder ändern wird. Mein Aufenthalt hier auf der Psychiatrie ist freiwillig und nicht das erste Mal. Oft gab ich nur vor, mich auf Studienreisen zu befinden, in Wirklichkeit dienten diese Geschichten der Verschleierung meines Aufenthaltes hier. Seit meiner Kindheit beschäftige ich mich mit Nekromantie, Okkultismus, Magie. Ständig bewege ich mich in Zwischenräumen, höheren und niederen Sphären, versuchen Engel und Dämonen von mir Besitz zu ergreifen. Das zehrt im wahrsten Sinne des Wortes an meinen Nerven, bringt mich gelegentlich aus dem Gleichgewicht. Dann sitze ich zwischen allen Stühlen und bin Grenzgängerin zwischen allen Parallelwelten. Odin hat auch darin recht: Selbst wenn man alle Schutzheiligen und Engel bemüht und Gott hoch und heilig schwört, sich nur mit dem Guten zu befassen und wo man auch geht und steht, arbeitet und webt, das Böse zu meiden, so gelangt man doch früher oder später in eine Situation, wo man der Versuchung nicht mehr widerstehen kann. Coinzidentia oppositorum – Nicolaus von Kues – dürfte Dir bekannt sein, jenseits der Welt oder im Urgrund, Jakob Böhme, war alles vereint. Es herrschte die große Einheit. Die Mystiker wussten weit mehr davon als die Kirchenväter und Theologen. Dass der ursprüngliche Schöpfungsakt und das Schöpfungsmedium dunkel und geheimnisvoll waren, unergründlich, vorrational, ungestaltet. Die Kategorien Gut und Böse können darauf nicht angewendet werden. Der Schöpfungsbericht der Bibel ist eine durchaus sekundäre, abgeleitete, beschönigte Version: Der Gott Jakob Böhmes würde nicht gesagt haben „Und siehe, es war sehr gut." Für die Philosophen stellt sich das ähnlich dar: Das Prinzipium individuationis hat alles Verwerfliche und Böse in die Welt gebracht, indem das ursprüngliche All-Eine auseinanderdividiert wurde. Zu allem gibt es jetzt den Gegenpol, unvermeidbar bis zur großen Wiedervereinigung: Mann-Frau, reich-arm, gut und böse, schwarz und weiß, Gott und Teufel. Engel und Dämonen. Es war das Schicksal abendländischer Religion und Philosophie, dass Gott für sie das Summum bonum war; im gleichen Maße war man gezwungen, das Böse sozusagen outzusourcen, nach außen zu verlagern; so entstand der Teufel mit seinen Heerscharen. Die Versuchung besteht darin, dass erst beides, weiße und schwarze Magie zusammengenommen, die Kraft zur Verfügung stellt, die ich benötige, um die Ziele des Ordens, jedenfalls einen Teil davon, in die Tat umzusetzen. Nur durch die Wiedervereinigung der einst noch ungeschiedenen Kräfte gelangt man zum Urstrom des Lebens, zum dionysischen Element, dem Quell aller Schöpferkraft und jeglicher Macht. Wer sich dorthin, viel tiefer als der Hades, jenseits der Hölle, wagt, muss sein Ich-Bewusstsein einstweilen hintanstellen. Aber gefährlich sind diese Wanderungen in tiefsten Tälern, wo Deine Augen blind werden und Du die Richtung nicht mehr kennst, dort, wo Gutes und Böses nicht geschieden sind, chthonische Mächte raunen Dir zu, lichthafte Gestalten wispern von vergangenen Paradiesen, Du fühlst Deine Kräfte von Dir weichen, bist nahe dem Tod, erst wenn Du diesen Kräften widerstehst, erwächst Dir auf Erden unheimliche Macht.

Erinnerst Du Dich an Deine Science-Fiction-Geschichte? Ich glaube, bis auf einen kleinen letzten Teil bist Du mit der Geschichte fertig. Warum schreiben und lesen wir solche Geschichten? Um uns zu unterhalten; aus Zeitvertreib; wir schreiben sie, weil wir mit unserem Job Geld verdienen müssen und so weiter; keiner würde auf den Gedanken kommen, dass sie exakt der Realität entsprechen würde. Wer das behauptete, würde in den Verdacht geraten, verrückt zu sein. Der käme dorthin, wo wir schon sind. Durch Zufall könntest Du aber den Kern getroffen haben, ohne es zu ahnen, gewollt zu haben oder auch nur dafür zu sein, Wirklichkeit aus der Zukunft darzustellen und als Wahrheit gewinnbringend zu verkaufen. Wenn jene nämlich unseren Vorstellungen und geheimen Wünschen nicht entspricht, auch wenn der Stoff noch so wahr ist, so würden wir solches Zeugs auch nicht kaufen und der Autor würde verarmen. Manche hellsichtigen Begabungen gelangen schneller als ihnen lieb ist, in solch paradoxe Situationen, dass sie die Wahrheit geschaut haben, leider jedoch dieselbe nicht kundgeben dürfen, weil sie dann getötet oder auf Nimmerwiedersehen in die Gefängnisse oder Psychiatrien verbannt würden. Wie nun, wenn all das um uns herum, das wir als so sicher wähnen, lediglich simuliert ist und uns nur als Wahrheit erscheint? Nicht wahr, dann dreht sich alles um uns herum; wir haben keinen Halt mehr; der Boden unter unseren Füßen wankt. Dass niemand es wissen will, verschlimmert die Lage für Dich außerordentlich. Deiner Meinung nach hast Du das Allerwichtigste mitzuteilen, dann wendet man sich an die höchsten Stellen, gebärdet sich wie irre, um seiner Wahrheit Nachdruck zu verleihen und man erreicht exakt das Gegenteil. Behält man jedoch die Wahrheit für sich, wird man auch krank am Geist. Sie schränkt ein, zwängt und zwingt. Man verschließt die Türen, mauert sich lebendig in ein Grab. Seht her! Ihr habt mich getötet; ihr habt mir alles Leben genommen, weil ihr meine Wahrheit nicht hören wolltet – ihr habt mich nicht gelassen! Dabei wäre Gelassenheit die einzige Rettung gewesen. Er hätte die Wahrheit zurückgeben müssen, die ihm zu schwer wurde.

In beiden Fällen ist man ist ein Fall für die Psychiatrie. Belastbarer Wirklichkeitssinn ist das Hauptkriterium für Gesundheit im psychiatrischen Verständnis. Logisch-schlussfolgerndes Denken; Strebertum; sich gegenseitig übers Ohr hauen, Kriege führen und töten – das gilt als normal. Niemand kommt in die Irrenanstalt, wenn er sich für Kriegsideologien begeistern lässt und mit Hurra-Geschrei auf den Feind eindrischt. Erinnerst Du Dich an meinen Aufsatz über Anthropologie, Hominidenentwicklung, Zäsur des Bewusstseins? Sein Inhalt war pessimistisch, aber realistisch, provokativ und nicht opportunistisch. Dementsprechend wurde er vom Fachkollegium heftig kritisiert und ich wurde mit allem möglichen Schmutz beworfen. Obwohl sein Inhalt von dem eigentlich maßgebenden Spirituellen, um das ich weiß, noch sehr weit entfernt ist. Sei froh, dass Du wenigstens ein Mal in Deinem Leben ein Kastalien erlebt hast! Im normalen universitären Wissenschaftsbetrieb beäugt man sich gegenseitig hyperkritisch. Der Fehler des Kollegen fördert meine Karriere. Warum sollte ich eine erkannte Wahrheit vom Katheder herab predigen oder in einer Fachzeitschrift publizieren, wenn sie mir schaden könnte, weil sie dem wissenschaftlichen Mainstream zuwiderläuft? So war mein Essay eben nicht zeitgemäß. Er folgte nicht dem gängigen Menschenverständnis, das wir uns von uns selbst geschaffen haben. Heute soll man Optimismus verbreiten. Keiner will an den Weltuntergang erinnert werden. Meine Karriere war im Grunde genommen mit der Veröffentlichung des Essays beendet. Nirgendwo mehr bekam ich eine Dozentenstelle oder eine Gastprofessur oder auch nur einen kleinen Forschungsauftrag. Man warf mir eine Fehlinterpretation Helmut Plessners vor. Ich will Dich nicht mit Interna des Universitätsmilieus langweilen. Gott sei Dank war ich finanziell immer unabhängig wie Du und genas aufgrund meiner Herkunft ein enormes Privileg. Niemals musste ich ein Brotstudium absolvieren. Ich musste meine Haut niemals auf dem Arbeitsmarkt verkaufen. Erinnere Dich des Inhalts des Essays! Unsere exzentrische Positionalität führt zu einem Hiatus, ein Loch im Sein. Diese Formulierung ist notwendigerweise unpräzise, weil wir uns auf der Grenze befinden. Mit gleichem Recht könnten wir eher philosophisch behaupten: Das Sein ist diskret und kein fortlaufendes Kontinuum. Die Löcher im Sein waren immer schon da und haben nur darauf gewartet, Wesen mit Bewusstheit zu gebären. Dort genau entspringt unsere Freiheit. Dort, im unsichersten Terrain entsteht und vergeht unser Bewusstsein. Dort existiert die größte Gefahr. Denn wir werden des Nichts gewahr. Ich habe hineinschauen müssen und bin massiv erschrocken. Mein Leben hat sich total geändert, alle Werte und Normen sind auf andere Ziele geeicht worden. Keiner hält es für möglich, dass wir die tiefste Wahrheit aus dem unerschöpflichen Brunnen unseres Daseins zu schöpfen vermögen, dass jedoch ihre Kenntnis mit Verfall, Sturz und Tod einhergeht. Er ist der Preis, den wir für die Kenntnis der Wahrheit zu zahlen haben. Bildlich gesprochen: Erst in dem Augenblick, da wir in den Hiatus hineinstürzen oder uns von ihm aufnehmen lassen, werden wir der Wahrheit gewahr; in dem Augenblick befinden wir uns freilich auf dem Sterbewege und es gibt kein Zurück. Das ist der Preis, den ich zu zahlen habe, den Verlust an Freiheit, den frühen Tod, die Psychopharmaka, das vorzeitige Altern ... plus das, was mir noch bevorsteht. Ein Preis im Übrigen, den ich aus freiem Willen entrichte. Du wirst es mir glauben, weil Du mich besser kennst, als andere, ich hätte ein sorgloses Leben führen können als Luxushäschen, als eine Paris Hilton, schön und reich bin ich nun mal, ich hätte jeden Mann haben können und anstatt meinen Körper mit Psychopharmaka zu martern, würde ich jetzt im azurblauen Mittelmeer bei 22° Wassertemperatur von der geräumigen Jacht ins Wasser springen und mich auf den Abend freuen, den ich in der Nobeldisco verbringen würde mit den angesagtesten Klamotten. Warum habe ich mich anders entschieden? Ich glaube, es hängt mit dem Resonanzphänomen zusammen. Irgendwann, irgendwo in Raum und Zeit tun wir etwas oder unterlassen eine geplante Handlung, irgendwann, irgendwo lesen wir etwas, stoßen auf ein geheimnisvolles Buch, hören einen Vortrag und es läuft uns kalt den Rücken herunter, wir erleben ein déjà vu, plötzlich sind wir grenzenlos glücklich, wir wissen nicht, wie uns geschieht, nur eines ist uns klar: das kann kein Zufall sein, da hat eine höhere Hand mitgewirkt ... so ist es mir während Deines Vortrags in Hamburg ergangen. Natürlich habe ich von bestimmten Personen im Orden den Hinweis bekommen, natürlich habe ich mich vorbereitet und die Thematik war mir nicht ganz unbekannt. Ich studierte vorher Deine Website mit großem Interesse und freute mich auf den Abend. Deine Schlussfolgerungen aus dem Anthropischen Prinzip finden voll und ganz meine Zustimmung. Man mag dies als Resonanzphänomen betrachten; seine Benennung spielt keine bedeutende Rolle. Wir wurden in ein spannendes Abenteuer verwickelt mit interessanten Figuren. Welchen Unterschied macht es, ob dies alles einer erlebten Wirklichkeit entspricht oder ob diese Wirklichkeit nur existent war in unseren parallel geschalteten Hirnströmen? In beiden Fällen unterwarfen wir uns der Suggestion unmittelbaren Erlebens. Wir hatten wunderschöne Zeiten mit unseren Freunden. Nachdem Du mich nun entdeckt hast, wird es das Treffen in Mexiko nicht mehr geben. Sei mir nicht böse darum …" „… warum sollte ich? Wir sind frei, Melite, und ich danke Dir für Deine Ehrlichkeit. Ich werde ohne Dich allein nach Mexiko fliegen und die Freundschaften zu John und Ramon weiter pflegen. Mir bedeutet dieser Gesprächszirkel sehr viel und am liebsten würde ich die Verwerfung mit dem Orden rückgängig machen und weiterhin Seminare und Veranstaltungen besuchen oder selber durchführen mit anspruchsvollen Inhalten." „Du hast noch nicht recht verstanden … bitte genieße doch die Vergangenheit! Die Treffen eines idealen Freundeskreises, wie aus dem Ideal klassischer Philosophie, den Freundschaftsidealen eines Epikur entstammend, Gleichgesinnte im Geiste wie autonome Inhalte meines Ichs, die mir wie von außen kommend sichtbar werden; zehre von diesen lieblichen Erinnerungen, dem Spiegelexperiment, bei dem sogar die spröden Nachbarn halfen, die Aufenthalte in der Cuxhavener Disco – das alles befindet sich nun als schönste Erinnerung in Deinem Gedächtnis; was kümmert´s Dich, ob alles wirklich so geschah oder auch bereits zum Zeitpunkt des Erlebens schon Imagination und Vergangenheit war? Es ist so wahr oder unwahr wie Deine neuerliche Identität mit dem Propheten, von dem nur eines ganz gewiss ist: dass Du kein Prophet bist!" Sie sprach mir in Rätseln, doch traute ich mich nicht mehr zu fragen. „Diese Wesen, von denen Du sprachst, die gibt es wirklich. Doch welche Wirklichkeit bekleiden sie? Einfache Menschen kennen nur eine Gestalt, unter denen ihnen die Wirklichkeit erscheint. Wir haben in unseren Gesichten und Visionen andere Formen der Wirklichkeit erlebt. Sollten wir nun auf den törichten Gedanken kommen, diese Wirklichkeiten zu kommunizieren, so würden wir uns lächerlich machen und als verrückt gelten. Außerdem würde die Kraft, über die wir mehr als der Durchschnitt verfügten, Schaden nehmen. Das war seit alters der Grund für die geheimen Weihen der Mysterien und des Arkanums. Einiges vom Zauberischen und Geheimnisvollen ist für die Masse nicht geeignet. Deswegen müssen und mussten in der Vergangenheit diejenigen sterben, die sich widerrechtlich Einblick verschafft hatten in das geheime Wissen oder mit dem Arkanum Missbrauch betrieben hatten, als ob man ein Kleinod vor der Berührung schmutziger Hände zu bewahren habe.

Verfügt man über außergewöhnliche spirituelle Fähigkeiten, so darf man sie niemals zu eigensüchtigen Zwecken einsetzen. Wir leben heute soziologisch gesehen in einer nivellierten Massengesellschaft ohne Gliederung und organische Schichtung – jedenfalls gilt dies für die offiziellen Verlautbarungen und für das Bild, das man in den Medien davon verbreitet. Durch ein falsch verstandenes Gleichheitsprinzip meint jeder, ihm stehe alles zu, was andere auch besitzen und nutzen, sogar Fähigkeiten und Begabungen wären für alle da, und jeder, der sich bemüht und Leistung erbringt, könne alles erreichen. Das Credo der Leistungsgesellschaft. Mit diesem Gleichheitsverlangen tritt man auch an das Wissen heran. In der nivellierten Massengesellschaft meint jeder, alles zu wissen und ein wichtiges Wörtchen mitreden zu müssen. Die Medienvertreter sind gleichzeitig die Meinungsmacher. Sie verstärken geschickt ein hier grassierendes Vorurteil und nutzen dort aufbrodelnde Emotionen zur Auflagensteigerung. Darüber hinaus gerät alles zur Ware. Schau Dir den Esoterikmarkt an! Als ob man durch ein, zwei Kurse oder Buchlektüren bereits die höheren Weihen erhielte. Da werden unglaubliche Lügen verbreitet. Nun stell Dir vor, heutzutage, die von Werbung und Kaufsucht verblendete Masse, die ewig jung bleiben möchte und sich von virtuellen Spielen einlullen lässt oder die zweite Existenz im Cyberspace wichtiger nimmt als die öde und langweilige biologische, stell Dir vor, ihnen würde eine höhere Macht alle magischen Kräfte und Potenzialitäten zusprechen unabhängig von jeglichem Grad der Spiritualität und unter Missachtung des

Arkanums. Das ergäbe ein wüstes Hauen und Stechen und endete wie im niederdeutschen Märchen <Von dem Fischer un syner Fru> Am Ende obsiegt die Gier; jeder will so hoch als möglich hinaus; wie des Fischers Frau, deren Unersättlichkeit gegenüber dem Zauberbutt am Ende nicht vor dem Wunsch halt machte, so zu sein wie der liebe Gott und Sonne und Mond zu gebieten. Heute wollen die Leute alles bequem vom Fernsehsessel aus haben und jegliche Light-Version findet sogleich Zuspruch. Dass Religion und Esoterik den ganzen Menschen fordern, das Christentum von Umkehr spricht und die Lehre der Spiritualität mit gewaltiger Anstrengung verbunden ist, die sich über mehrere Wiedergeburten erstreckt, das widerspricht erheblich dem Zeitgeist und der Maxime: I love Genuss sofort. Solche Initiationsriten beispielsweise für die Aufnahme in die antiken Mysterien gingen mitunter auch einher mit Nahtoderfahrungen. Die Adepten wurden einem künstlich herbeigeführten Erlebnis dieser Art ausgesetzt mit allen dazugehörigen Ängsten, Bitten, Gebeten, mit allem bewusstlosen Schreien und den Unbilden der Todesnot. Danach erwachten sie erneuert in einer Wiedergeburt, einem neu geschenkten Leben. Das Christentum kennt leider nur noch die äußere Form. Der eigentliche Inhalt des Sterbens vom alten Adam und der Wiedergeburt aus Geist heraus ist ihm lange schon abhanden gekommen und zunächst in die Sekten, später dann in die Ratio ausgewandert. Die Konsequenz ist: Niemand nimmt das heute mehr ernst; was früher wirkliches Blut, wirkliche Todesangst war, das lange Unter-Wasser-Bleiben-Müssen bei der Taufe bis man zappelte und mit den Armen um sich schlug, weil man keine Luft mehr bekam und schon Wasser in die Lungen gedrungen war, das ist zu einem toten Buchstaben geworden. Odin hat auch recht darin, dass ich mich mit Hekate identifiziere. Diese wichtige griechisch-römische Göttin, deren Ursprung wohl in Kleinasien lag, wird auch heute noch in geheimen Zirkeln neopaganischer Provenienz verehrt. Ich bin eine ihrer Wiedergeburten. Du kannst Dir vorstellen, dass auch nur der kleinste Hinweis darauf, an die Öffentlichkeit gebracht, Dich für Schizophrenie oder eine unter den manischen Halluzinationen qualifiziert sein lässt..." Melite gelang ein zaghaftes Lächeln. „...man kann den Menschen nicht einmal böse sein deswegen. Sie haben keine anderen Abwehrsysteme als diese rationalen Diagnosen, die Unangenehmstes nach sich ziehen in Form von Tabletten und Depotspritzen. Im Mittelalter wäre ich – oder bin ich – auf dem Scheiterhaufen verbrannt worden. Die Göttin Hekate hat viele Wandlungen durchgemacht im Laufe der Religions- und Geistesgeschichte. Immer jedoch war sie für die Schwellen, Grenzen und Übergänge verantwortlich und sie wurde angerufen im Falle von Niederkunft und wenn es zum Sterben ging. Bis heute hat sie sich gehalten als die Göttin der Wegkreuzungen. Ohne Kompass, Landkarten und Navi waren solche Wegkreuzungen immer unheimlich. Was würde passieren, wenn man den falschen Weg einschlug und sich in der Richtung vertat? Hekate war die Göttin des Mondes, der Unterwelt, des Totenreiches und der Nachtfahrt der Sonne von West nach Ost. Sie kannte die Schattenseiten; deswegen wusste sie weitaus mehr als diejenigen Menschen, die nur das Lichte zu sehen vermeinten und damit alle Weisheit in Händen zu halten glaubten. Welch gefährlicher Irrtum, wie wir heute wissen! Welch enormer Optimismus ging von der Epoche der Aufklärung aus! Bereits die Auswirkungen der französischen Revolution, die rasch in eine unselige Diktatur der Vernunft ausmünden, Jakobiner und Robespierre, in den Massenhinrichtungen unter der Guillotine gipfelten, Ungerechtigkeiten, unter denen der vierte Stand litt, Zensuswahlrecht und Napoleon ließen den Glauben an den ungebrochenen Fortschritt der Vernunft rasch verblassen. Ich muss Dir nicht sagen, in welchem Zustand sich die Welt heutzutage befindet. Und welch erschreckenden Oberflächlichkeiten sich die Menschen hingeben und dabei trotz allem noch von sich sehr überzeugt sind. Wir sind Geistesverwandte! Diese Welt, so wie sie jetzt ist, ist nicht mehr zu retten. Der Point of no return ist bereits überschritten. Die Menschen wissen es nicht, dürfen es nicht wissen, weil Optimismus, Kaufen, Feiern, Geld ausgeben, Arbeiten erste Bürgerpflicht ist oder sie wollen es nicht wissen, weil wir nur allzu gern verdrängen und lieber in Luftschlössern leben oder uns eine bunte Märchenwelt schaffen, als den unbequemen Tatsachen ins Auge zu sehen. Wir haben oft genug darüber diskutiert und brauchen keine Worte mehr zu verlieren. Die Welt, genauer gesagt, die Kultur und der sie schaffende Mensch liegen im Argen. Was ich jetzt sage, sage ich nur Dir nach Maßgabe des Hinweises von vorhin. Du wolltest die Wahrheit wissen mit allen Konsequenzen, die daraus folgen, auch für Dein Privatleben. Diese Welt mit ihren fehlgegangenen Menschen, ihren maroden technischen Errungenschaften und ihren wirtschaftsdiktatorischen Systemen muss vernichtet werden. Ihr Untergang ist beschlossene Sache. Du erinnerst Dich an die Konferenz? Wir mutmaßten ..." „Also stimmt es? Es hat sie doch gegeben, die Konferenzen, unsere Berichte, unsere Zitation plötzlich aus einem beliebigen Punkt aus Zeit und Raum?" „Ja und nein! Was soll ich dazu sagen? Du hast es als Realität oder wie eine tatsächlich stattfindende Wirklichkeit erlebt – aber nicht im herkömmlichen Raum-Zeit-Verständnis. Nenne es meinethalben eine Art von Bewusstseinserweiterung." „... John, sogar Ramon zum Schluss, das kleine Mädchen – die waren doch auch alle dort, nicht wahr? Der Vorsitzende – der schreckliche Gerstein-Report!" „Das Problem liegt darin, dass Du gern ins Philosophische abgleitest, in die Erkenntnistheorie – was können wir unter bestimmten Umständen erkennen und wie gelangen wir zu wahren Schlussfolgerungen? – das ist interessant und spannend, doch was trägt es im Augenblick an Klärung von Sachverhalten in unserem Gespräch bei? Dir war der Gersteinreport wichtig. Dich hat er schockiert, mit Recht! Mich ebenso! Das waren alles Menschen mit Einzelschicksalen! Diese Erkenntnis ist keine intellektuelle, sondern eine viel umfassendere, die man nur mit dem Herzen machen kann. Gewissermaßen bist Du erkannt worden, in jenem Augenblick. Und sie ist Dir nachgegangen, immerzu bis in Deine Erzählungen, Formulierungen der Science-Fiction-Geschichte hinein. Was hat es da noch für eine Bedeutung, ob John auch dabei war? Das kleine Mädchen symbolisiert die Ambivalenz von Freiheit und Erkennen. Was wissen wir denn wirklich darüber, wie und warum sich Menschen so und nicht anders entscheiden oder entschieden haben, entscheiden werden? Solche verrückten Dinge wie der <Zweite vernichtende Gegenschlag> sind ja selber Ausdruck jener schroffen Ambivalenz und deuten auf die Fehlentwicklung der gesamten Menschheit hin. Doch wie steht es mit dem Umweltproblem? Das Problem sind wir selbst, unsere Existenzweise, das Problem ist der Mensch, seine ungezügelte Vermehrung, seine Gier, sein Streben nach

Luxus. Hat man sich je einigen können auf eine Reduzierung des CO^2 Ausstoßes zur Eindämmung des Treibhauseffekts? Das ist wahrlich nicht weniger verrückt als der absurde <Second-strike>, nur die Menschen wollen es nicht zur Kenntnis nehmen. Führe Dir nur die Konsequenzen vor Augen, wenn eine gigantische Nation wie China mit einer Bevölkerung von über einer Milliarde, die zweitgrößte Volkswirtschaft der Erde, erst 2030 mit einer Reduzierung ihrer Treibhausgase *beginnen* will. Wenn das nicht verrückt ist! Aus meiner Warte der alten Geschlechter heraus, die die höchsten Weihen aufgrund ihrer Verdienste erhalten haben, sind dies die Symptome einer unkorrigierbaren Fehlentwicklung, die vor langer Zeit eingeleitet wurde und sich im ungezügelten Kapitalismus beschleunigt fortsetzt. Das bringt uns wieder zu Hekate zurück. Sie wurde auch mit der Erdgöttin Gaja gleichgesetzt. Der Magna-Mater-Kult geht auf alte und ursprüngliche matriarchale Herrschaftsstrukturen zurück, die bis ins Neolithikum andauerten. Verehrt wurde die Mutter, die Geberin von Nachwuchs und die Garantin von Fruchtbarkeit. Wie alles hat auch sie eine Nachtseite. Diese verkörpert Hekate. Die Mutter kann auch zurücknehmen in ihren Schoß, was sie gebar. Verletzt man die Haut dieser Erdenmutter über Gebühr, so wie das die Menschen durch ihren Raubbau an der Erdoberfläche nicht erst seit der Industrialisierung tun, so wird sie sich auf scheußliche Weise rächen. Allegorisch ausgedeutet kannst Du es auch wie folgt sehen: Das Matriarchat wurde vom Patriarchat verdrängt. Dieses wiederum verlagerte den Akzent von der Bewahrung und Pflege der Erde, die der Mutter gehört, auf das Machen und Tun, Planen, Umgestalten und Verletzen. Das Besitzverhältnis kehrte sich um. Auf der Oberfläche fanden sich nur tote Substanzen, die erst durch die Schaffenskraft des Technikers zum Leben erweckt werden mussten. Die Mutter Erde wurde durch Beton und Stahl geschändet. Man gräbt sich tief in ihre Haut, um Gold, Silber, Neodyn und Diamanten zu fördern. Diese Akzentverschiebung beeinflusst bis heute den Wissenschaftsbetrieb. Erkennen gleich Zerstören. Analyse des Lebendigen bedeutet Töten und Fixieren des organischen Wandels; man verwandelt um in tote Substanz. Wer heute wie Lovelock oder Sheldrake behauptet, dass die ganze Erde ein lebendiger Organismus sei oder wie der Nobelpreisträger für Physik Wolfgang Pauli, der im Zusammenhang mit dem Kosmos von der Anima mundi spricht, dann wendet man sich mit allen negativen Folgen gegen die Herrschaft der wissenschaftlichen Lehrmeinung und wird unter Umständen von den Rädern der Wissenschaftsfabrik platt gewalzt. Diese Rache widerspricht allen Anschauungen, die wir uns von Sittlichkeit und Gutmenschentum gemacht haben. Rache scheint etwas Gestriges, Zurückgebliebenes zu sein für Menschen im Status von Analphabeten. Eine beseelte Erde, die sich rächt für die ihr zugefügten Verletzungen? Das ist doch Quatsch! Der Rubel muss weiter rollen und die Ausbeutung der Ressourcen geht unvermindert weiter. Wie auch immer wir die Realität dieser metaphysischen Konferenzen einstufen mögen, wie auch immer die Außerkosmischen Wesenheiten, die Deinem Vortrag zufolge dieses Universum mit seinen Welten anstelle Gottes oder wie Schöpfergottheiten konstruiert haben, zu dem Erfolg ihrer Anstrengungen stehen mögen, Hekate ist böse darüber, dass keine bedeutende Umkehr bislang stattgefunden hat. Sie wird die Menschheit wieder in ihren Schoß zurücknehmen.“ Das klingt für unsere verwöhnten Ohren grausam und unmenschlich. Das Christentum würde abfällig vom Feminismus sprechen oder vom Wiedererstarken des Heidentums. Kümmert alles Hekate nicht! Es gab Naturvölker, die Neugeborene töteten, um das aus dem Ruder gelaufene Gleichgewicht zwischen Mensch und Natur wiederherzustellen. Hekate oder Gaja stellt dieses Gleichgewicht mit einer Brachialgewalt wieder her, die wir nicht verstehen, jedoch auch keineswegs verstehen müssen – wir werden nicht mehr um unseren Rat gebeten. Die Entscheidung ist gefällt.“ Das schien mir nun tatsächlicher Größenwahn zu sein, das klassische Syndrom einer totalen Selbstüberschätzung wie aus dem Lehrbuch. Typisch auch diese grenzenlose Verantwortlichkeit. Bei aller Liebe und Wertschätzung Melite gegenüber. „Wie will sie das bewerkstelligen? Die Menschen werden sich nicht einfach so die Erde nehmen lassen.“ „Das lass ihre Sorge sein! Ungewöhnliche Dinge werden passieren, wie sie die Welt nicht gesehen hat, seit es Menschen gibt. Vielleicht sind es gar Deine Wesenheiten oder Schöpfer des Urknalls, die sich der alten weiblichen Gottheiten bedienen ...“

Melite wirkte müde und erschöpft. Gleichwohl sprach sie akzentuiert in druckreifem Hochdeutsch ohne zu stocken oder zu stottern; ihr konzentrierter langer Monolog überraschte mich angesichts ihres schlechten Aussehens und ihres Tablettenkonsums. Ich ging ihr nach bis zu der Station, an deren Ende die Leiterin der Psychiatrie Frau Professor Binswanger Belegbetten besaß. Ich gab ihr noch einen Kuss auf toter, kalter Haut. Entgegen meinem Wunsch schweißte uns die gemeinsame Erkrankung wohl nicht näher zusammen. Ich hoffte sie am nächsten Tag wiederzusehen. Doch entweder war sie schon entlassen worden oder in ein anderes Krankenhaus verlegt. Ich sah sie niemals mehr wieder.

49. Kapitel: Global Movement for Life

Enttäuscht, getäuscht, desillusioniert und auf die triste Wirklichkeit gestoßen, so aus der Psychiatrie entlassen, trachtete ich meinen Lebensrest zu sortieren. Versorgt mit aktuellster Diagnostik und von Psychopharmaka erfüllt, suchte ich mit kaugummiartigen Denkprozessen die günstigste Zugverbindung heraus. Religiöse Komplexe und einen Messiaswahn, die Welt zu retten, attestierten mir die Fachleute. Selbst die drohende Anzeige wegen Insiderhandel wurde keineswegs als Realitätsanker meines biografischen Abschnitts ärztlicherseits akzeptiert, da es sich um einen klaren Rechtsbruch handele und nicht um Wahn. Diesbezüglich solle ich die Polizei einschalten und gegebenenfalls Anzeige erstatten gegen Unbekannt im Hinblick auf die empfangenen Informationen. Mir hätte klar sein müssen, so der Arzt, dass nicht der Empfang, sondern die Verwertung einschlägigen Insiderwissens strafbar sei. Zu gut passten alle harten Fakten meines Lebens zusammen und ergaben für den Psychiater ein unzweifelhaftes Wahngebäude. Alter Mann sehnt sich nach junger Liebschaft. Einsamer verbiesterter Rentner läuft auf zu höchstem Rang. Das verkannte Genie strebt nach kompensatorischer Anerkennung. Die Begegnung mit meinen hochkarätigen Freunden nebst den erlauchten philosophischen Diskussionen glaubte man mir auch nicht. Ich solle nach echter Freundschaft im Alltagsleben Ausschau halten und meine Kameraden vom Schachverein häufiger einladen. Durchgängig ginge es in meinen Phantasien um elitäre Machtgelüste. Die Therapie bestehe in der allmählichen Akzeptanz meiner, selbst vom Klinikpersonal zugestandenen, tristen und langweiligen alltäglichen Situation eines Gescheiterten. Wobei ich mich eindeutig zu negativ beurteilte. Die Vorstellung von meinem Ich-Ideal sei unrealisierbar und krankmachend. Natürlich drang man darauf, dass ich weiterhin meine Vorträge zum AP anbiete. Ich hatte den Eindruck, dass der behandelnde Arzt keinen Wert auf das

Thema legte; ihm war es gleichgültig, ob ich Bilder vom letzten Urlaub zeigte oder mich über die Karnickelzucht ausließ – Hauptsache, ich kam unter Menschen. Er riet mir, an Seniorenfreizeiten teilzunehmen und möglichst viele Gemeindegruppen und Gesprächskreise zu besuchen. Sobald ich wieder Kontakt zu Menschen bekäme, würde ich mein Leben auch wieder als sinnvoll und bedeutsam erleben. Grübeln und selbstreflexive Prozesse würden schlicht ersetzt durch Außenkontakte. So einfach ist das! Man braucht nur die Festplatte im Gehirn auszutauschen und legt ein neues Programm auf. Die Applizierung von Tabletten stellte man meiner Urteilskraft anheim je nach den Unruhezuständen und bei sich wieder einstellendem Verfolgungswahn. Immerhin billigte man mir noch diese Freiheit zu. Ich war nicht entmündigt, da ich ja keine Straftaten begangen hatte und keine Gefahr für Leib und Leben bestand. Wie dankbar bin ich doch, dass ich in Rollenspielen lernen durfte, wie mit den Nachbarn umzugehen sei, denen ich doch wohl eine Erklärung für mein auffälliges Verhalten zu liefern hätte…

Müde und denkfaul schlurfte ich aus dem Bahnhofseingang hinaus und schlitterte unweit des Hamburger Hauptbahnhofs in eine Großdemo mit Gerede, Straßentheater und Musik. Ich wollte mich rasch in ein großes Kaufhaus flüchten, denn ich empfand im Augenblick Musik und die in mein Ohr dringenden Redefetzen wie Krach; fragmentierte, abgehackte Redebestandteile: „… world-life-kosmic-balance … Bewegung für das Leben … einigt Euch unter dem weltweiten pro-life-movement …“ Träumte ich nur, oder kamen immer mehr Menschen, junge, alte, Migranten, Farbige, Kleinbürger, Leute in Schlips und weißem Kragen? Durfte ich meinen Sinnen noch trauen? Große Videoleinwände zeigten Besetzungen bedeutender öffentlicher Plätze in Peking, Honkong, Tel Aviv, Johannesburg, Frankfurt --- Kirchen, Dome, Moscheen – die wunderschöne blaue Moschee darunter, die ich einmal in meinem Leben, als es mir noch besser erging, auf einer Pauschalreise in die Türkei besucht hatte -, aus allen quollen Menschenmassen, standen auf den Vorplätzen, skandierten in den geläufigen Landessprachen: dass alle Religionen und Konfessionen, Gewerkschaften, Unternehmerverbände, Linke und Rechte sich vereinigt hätten unter der Großen Lebensbewegung. Was war das? Hatte ich etwas versäumt? Die Weltnachrichten hatte ich in den letzten Wochen nicht mehr verfolgt. Mein Kopf schmerzte, als ob er sich abgedichtet hätte gegen alle politischen Vorkommnisse. Ich sehnte mich nach dem Alleinsein --- mein Refugium in Geversdorf. Den Nachbarn würde ich Bescheid geben; sie würden mich wohl wieder in die Dorfgemeinschaft aufnehmen. Eine junge Dame, Straßenmusikerin, trommelte wild, gleichwohl rhythmisch auf ihrem Schlagzeug, die Drumsticks zwischen den Fingern wirbelnd, in die Luft geworfen und wieder aufgefangen zu der aus dem Ghettoblaster dröhnenden Musik. Wie magisch angezogen, näherte ich mich und fügte mich zur Gruppe. Trotzdem keine Gesamtregie zu erkennen war, schienen alle aufeinander Acht zu geben, dass sie kein Talent übersähen, keinen Redebeitrag ablehnten und niemanden ausschlössen. Als die Trommlerin geendet, führte ein Saxophon weiter. Ich hatte mit den Tränen zu kämpfen, weil die Musik offenbar in mir Gefrorenes aufzuwärmen begann. Jetzt stimmte man ein bekanntes Lied aus der Bürgerrechtsbewegung an: „We shall overcome“. Verkehrsknotenpunkte waren besetzt. Leute saßen auf der Straße und blockierten den reibungslosen Ablauf. Transparente waren zu lesen: Sand im Getriebe sein! Entschleunigung! Zukunft! Nur Parolen, dachte ich. „Was ist denn hier los?“ „Bist Du der einzige, der nichts davon mitgekriegt hat?“ „Das hat es noch nie gegeben! In wenigen Tagen ist eine Bewegung entstanden --- diese Sätze drangen in mein Ohr, irgendwoher vorne auf der Bühne sprach jemand --- von nie zuvor gekannten Ausmaßen, getragen von zuvor heillos zerstrittenen Parteien und atomisierten Menschen, die sich nun verbrüdern. Die Menschen haben erkannt: Wir brauchen eine neue Ausrichtung, neue Werte, eine Orientierung am Leben. Die Menschen beginnen zu teilen; sie teilen sich mit; spenden von ihrer Zeit; sie vereinigen sich; beenden ihr Leben in Isolation; sie haben angefangen, ihr Leben in frei gewählten Gemeinschaften eigenständig zu organisieren ... sie kriechen vorsichtig aus ihren Schneckenhäusern; Alten- und Pflegeheime erfüllen sich mit neuem Leben!“ Jeder habe ein Talent, keiner sei zu alt oder zu jung --- der auf der Bühne sprach nun sogar die grölende Gruppe von Hooligans an: alle sollten sich vereinigen und mitmachen bei dieser globalen

Bewegung. Salafisten und religiöse Fanatiker sollten sich zum Leben bekehren! Arbeitsgruppen formten sich spontan in allen Teilen der Welt. Die Universitäten würden Räume gern zur Verfügung stellen. Es kursierten Unterschriftenlisten, auf denen sich junge Wissenschaftler und Wissenschaftlerinnen, frisch von den Elite-Unis der Welt summa cum laude entlassen, bereiterklärten, Wissen und Kreativität in den Dienst des Lebens zu stellen und sich nicht mehr in den Banken, in der Werbeindustrie und in der Verwaltung verschleißen zu lassen. Nach den wahren Bedürfnissen, die zum gemeinschaftlichen Glückserleben führten, sollte geforscht werden. Die bisherigen top-down-Methoden sollten ersetzt werden durch bottom-up Strategien. Dezentralisierung würde kein Wort mehr sein, über dem nur die profitgeile Wirtschaft die Interpretationshoheit besitze, um damit die Privatisierung öffentlicher Güter zu kaschieren. Profitmaximierung solle zu einem obszönen Unwort erklärt werden. Dezentralisierung meine fortan die politische Willensbildung in kleinen überschaubaren Einheiten, Nachbarschaftsgruppen und Diskussionszirkeln, wo jeder jeden kenne und die Menschen füreinander einstünden. Vertreter aller politischen Parteien, die laut Verfassung für die politische Willensbildung verantwortlich seien, sind herzlich eingeladen, am Diskussionsvorgang teilzunehmen. Der Bildungsbetrieb soll weltweit vergemeinschaftet werden. Kostenlose Bildung für alle soll zu einem selbstverständlichen Recht werden. Auf den Leinwänden sah man Studenten mit ihren Professoren die Situation analysieren. Biedere Menschen kamen aus den Häusern und versorgten die Zeltstädte mit Lebensmitteln und frisch gekochter Suppe. Golfplätze wurden von den Reichen zur Verfügung gestellt für die nicht abreißende Welle von Open-Air-Veranstaltungen. Nun hatte ein Dunkelhäutiger die Bühne betreten mit Gitarre und Mundharmonika, der blind war --- nur das Weiße in seinen Augen war zu sehen. Niemals nicht in meinem ganzen Leben zuvor habe ich jemanden so spielen sehen. Sein ganzer Körper war Musik. Schon etwas aufgrund seines vorgerückten Alters gebrechlich, saß er auf einem kleinen Schemel – der weiße Bart umrahmte das ganze Gesicht – in tiefer Innigkeit drückte er mit seiner Soulstimme aus, was wohl alle fühlten, als ob er das ganze selbstgemachte Leid, das Menschen sich gegenseitig zufügen, im

Augenblick, da die Melodie sich aus seinem Körper formte, in seinem Innern erlebte und erführe. „When the night has come

And the land is dark
And the moon is the only light we see
No, I won't be afraid
No, I won't be afraid
Just as long as you stand, stand by me ..."

Der blinde Interpret wurde von allen gefeiert und umarmt. Die neue Videoeinspielung zeigte einen Frauenchor aus einer Favela in Johannesburg. Selbst gebaute Instrumente begleiteten einen mehrstimmigen Gesang, dessen Text ich nicht verstand. Unglaublicher Stolz entsprang ihren Gesichtern über die Aufnahme ihres Beitrags in die internationale Bewegung für das Leben. Ein Sprecher kündigte die weiteren Schritte an, damit diese größte Bewegung und Vereinheitlichung, seit es Aufzeichnungen gibt, nicht wieder verebbe und sich totlaufe. Er suchte nach Freiwilligen, die die ersten Mahnwachen unterhielten, die vor den Rüstungsbetrieben, den Waffenarsenalen und den Gebäuden der Ministerien errichtet werden sollten. Viele Menschen kamen mit Zelten und Schlafsäcken, brachten ihr Hab und Gut, um den völkerübergreifenden Aufstand zu unterstützen. Nie mehr würden sich die Menschen den todesverfallenen Strukturen beugen. Um dies zu erreichen, müsste die Zeit angehalten werden. Von einem Dreiphasenmodell hörte ich reden. Zunächst müssten alle Routinen und mechanischen Betriebsabläufe gestoppt werden. Für eine gewisse Zeit einigte man sich darauf, die Uhren nicht mehr zu beachten. Die Gewerkschaften und linken Parteien zogen einen Generalstreik in Erwägung. Man wolle nur noch das Allernotwendigste konsumieren. In überschaubaren Kleingruppen, Nachbarschaftskreisen, an den Schulen und Universitäten wolle man eine sorgfältige Analyse vornehmen hinsichtlich der krankmachenden Verhältnisse und der Zukunft, die für kommende Generationen nicht mehr sein werde. Die Erläuterung einer letzten Phase ging im Lärm unter; ich verstand ihren Wortlaut nicht mehr. Die große Versammlung gruppierte sich nun zu jeweils Wenigen, Fremden zunächst, die einander bekannt machten. Beeindruckend nach wie vor waren die Szenen auf den Videoleinwänden,

Bilder aus aller Welt, gemalt in den Farben der Liebe und Verbrüderung. Flüchtlingszüge wurden willkommen geheißen und man lud sie ein mitzutun, nachdem ihr Hunger gestillt worden war, indem die Nächststehenden vom Mitgebrachten abgaben. Stacheldraht wurde beiseite geschoben, schwere Tore glitten in den Boden hinab und öffneten den Weg zu den Soldaten, die ihre Waffen freiwillig abgegeben hatten. Arbeiter der Rüstungsbetriebe legten die Produktion lahm. Die Reihe war an mir. Ich sollte etwas sagen. Des gewohnten Niveaus meines ehemaligen Freundeskreises beraubt, wollte mir nichts Rechtes einfallen. Ich teilte wahrheitsgemäß mit, dass ich gerade aus der Psychiatrie entlassen worden sei. Dann verstünde ich doch wohl die Kranken besser als der Durchschnitt --- Leute mit solchen speziellen Erfahrungen seien herzlich willkommen. „Ich habe mich als Propheten ausgegeben", sagte ich verschämt. Eine fremde Frau mittleren Alters, vom heruntergekommenen Äußeren her zu urteilen, gehörte sie wohl zur Szene der Nichtsesshaften Hamburgs, erwiderte: „Vielleicht bist Du ja einer ... wir können jeden gebrauchen!" In dem Moment, als ich ansetzte, meine turbulenten Erfahrungen der letzten zwei Monate zu erzählen, bedeutete man mir, dass ein Anderer an der Reihe sei. Eine Liste ging rum, auf der ich mich zwischen „Holz beschaffen" für die Tonnen zum Wärmen in der Nacht und „Verantwortung für den sanitären Bereich" fürs „Zelten" eintrug. Jemand aus der Nachbargruppe schien verstohlen zu mir herüber zu schauen; ja, ich meine, er hätte sich gar in meine Richtung geneigt, um besser verstehen zu können, was ich sagte. Die Frau vom Schlagzeug gesellte sich zu uns; sie wandte sich zu mir: „Na Opa, schön, dass Du auch mitmachst!" „Kann mich mal jemand briefen --- wie lange existiert diese Bewegung denn schon? Was war der Auslöser?" wollte ich nun doch endlich wissen. „Wo kommst Du denn her? Besitzt Du keinen Anschluss? Da sind verschiedene Strömungen zusammengelaufen. Den Rest haben wir über die sozialen Medien organisiert. Sind es leid, uns verheizen zu lassen! Make Love, not War! Ein Strom fließt direkt aus der 68er Zeit zu uns, RAF, Woodstock --- müsstest Du doch erlebt haben?" Selten hatte ich einen größeren Unsinn gehört, doch ich wollte nicht unhöflich sein, zumal sie immerhin einen Irren in ihren Kreis aufgenommen hatten.

„Ich war damals noch sehr jung; wenn ich nicht irre, habe ich damals das Bücherlesen begonnen." „Gesellschaftsanalyse und so --- Maobibel?" „Ja, so was in der Art." Nach beharrlichem Nachfragen der um mich Versammelten schälte sich heraus, dass keiner so recht wusste, wie, warum und wodurch sich diese Bewegung so explosionsartig ausgebreitet hatte. Fest stehe nun einmal, dass sie existiere und dass immer mehr Menschen hinzukämen; die Medien berichteten in 24 Stunden Life-Sendungen aus aller Welt. Namhafte Politiker fänden sich bereits ein, um dem Volk „aufs Maul zu schauen" und um den Ängsten und Verstimmungen nachzuspüren, mischten sich unter die Gruppen, um zu erfahren, wo der Schuh drückt und um Abhilfe zu versprechen, dazu seien sie schließlich gewählt. Man sagt, viele seien verdrossen wieder abgezogen, weil sie weder auf unzufriedene Wutbürger gestoßen waren noch deprimierende, lähmende Ängste im Volk zu entdecken vermochten, sondern aller Orten schlug ihnen nur Freude, Musik, Tanz und versöhnte Vielfalt entgegen, vereint unter einem einzigen Motto: der Parteinahme für Leben und Zukunft, einem für Politikerohren verstörenden Plädoyer des Glücklichseins in Gemeinschaft. Großes Gelächter und Klatschen aufgrund der auf den Leinwänden nun zu sehenden Szenen von bislang normalen Bürgern, die ihre Fernseher und Flachbildschirme, gleichsam als ob sie alle verrückt geworden wären, aus den Fenstern ihrer kleinen muffigen Mietwohnungen auf die Straßen warfen unter lautem Klirren und „Bravo"-Rufen der Nachbarn. Die schon unübersichtlich groß gewordene Demo in Hamburg skandierte dazu: „Kommt zu uns, kommt zu uns, reiht Euch ein; hier gibt es mehr als Fernsehen; hier gibt es mehr als Fernsehen!" Ein lauter Ruf danach mitten aus dem Pulk der Demonstranten: „Hängt nicht vor der Glotze ab! Lebet euer Leben live!" Plötzlich wurde ein altes Arbeiterlied angestimmt, bei dem ich kräftig mitsang, weil es mich an meine eigene Jugend erinnerte: „Brüder, zur Sonne, zur Freiheit, Brüder zum Licht empor! Brüder, zur Sonne, zur Freiheit, Brüder zum Licht empor!" Eine niedliche Szene trug sich zu, als ein offensichtlicher Privatsender von Anhängern der Bewegung gestürmt worden war. Alle Mitarbeiter des Senders, die sich zunächst ängstlich in den Ecken verkrochen und nach der Polizeigewalt riefen, wurden mit Blumen überschüttet. Den Umarmungen und Schmeicheleien vermochten sie nicht zu widerstehen und am Ende standen alle lachend vor den letzten Einspielungen der Kamera, bevor die Dauerverkaufssendung endgültig unterbrochen wurde. Nun hatte eine Reporterin auf der Bühne zu einem life-Interview in den Abendnachrichten Stellung bezogen und fragte, für alle hörbar: „Welche Forderungen haben sie denn? Gegen was demonstrieren sie? Womit sind sie unzufrieden?“ Die Menge schrie bereits: „Aufhören! Abtreten!“ Der blinde Musiker, der zu einem weiteren Musikstück die Bühne just wieder betreten hatte, antwortete mit seiner ruhigen Bass-Stimme: „Wir wollen gar nichts! Wir wollen nur das tun, was wir im Moment tun, nämlich gemeinschaftlich in Liebe und Respekt leben! Und wir müssen auch nichts ändern oder machen, wir müssen niemandem etwas wegnehmen --- das hier ist Leben! Und wir wollen, dass man auch in Zukunft noch leben kann auf unserer wunderschönen Erde ...“ Gelächter, als die Reporterin verdattert fragt: „Sind sie denn autorisiert für dieses Interview?“ „Jeder ist hier autorisiert; sie können jeden interviewen; sie werden aus allen Mündern dasselbe hören!“ „Aber wenn sie nur leben wollen, was versammeln sie sich hier am Bahnhof? Leben können sie doch auch zu Hause!“ Buh-Rufe; Pfeifkonzert. „Du hast nichts verstanden, Mädchen!“ Der Kameramann mit seinen zwei Assistenten wieselte auf der Bühne herum und schwenkte in die Menge: Das war offensichtlich das Leben, Spontaneität, Glücklichsein! Kerzen waren längst entzündet wegen der einbrechenden Dämmerung. Ruhe trat ein, feierlich, heilige Stimmung. Einigen Polizisten war es wohl zu dumm, immerzu friedliche Demonstranten zu filmen. Sie packten ihre Kameras in die Taschen, ließen sich mit Blumen beschenken und setzten sich zu den Demonstranten.

Ein Fünf-Punkte-Programm lag uns vor, zur Diskussion gestellt. 1: Sofortige Einstellung des sinnlosen Prassens. 2: zwei autofreie Tage in der Woche. 3: Sofortige Beendigung aller Kriege und Konflikte. 4: Recht auf Glück ohne Stress, Tempo, Massensuggestion durch Werbung und Einstellung des Arbeitszwangs; Aufhebung der krankmachenden Konkurrenz und Ersatz durch humane Formen des Miteinander-Umgehens 5: Aufrechterhaltung und Ausweitung der Bewegung, Einführung einer Kultur des Gesprächs, Streitkultur etc. ---

Jeder durfte nun das Podium betreten und etwas sagen. Falls jemand Unsinn quatschte oder sich laufend wiederholte oder nicht zu Potte kam, wurden erst wenige, dann immer mehr Arme in die Höhe gereckt und mit den Händen gefuchtelt; eine sehr freundliche Art und Weise, wie ich fand, jemanden von der Bühne zu komplimentieren. Da die Bewegung keinen Vorsitzenden kannte, war es den Rednern durch kluge Inszenierung und substanzielle, prägnante Rede anheimgestellt, sich für den noch am Abend zu wählenden Sprecher der Bewegung zu qualifizieren. Ein langer Hagerer plädierte dafür, Mutlangen zu stürmen. „Ist der wahnsinnig?" konnte ich mich nicht enthalten zu erwidern, nur hörbar für die sechs Gesprächspartner in meiner Nähe, „die Herrschaftsverhältnisse sind immer noch dieselben. Sie lassen Euch erst gewähren, austoben, später schlagen sie umso härter zu." „Wieso redest Du von <Euch>? Gehörst Du nicht zu uns?" „Durchaus! Gebt mir nur ein bisschen Zeit, dies alles ist so neu und ungewohnt für mich --- außerdem trage ich seit einigen Tagen eine große innere Verletzung mit mir herum ..." Ein weiterer Diskutant stellte die staatliche Organisation in Frage; die Reaktion darauf war anhaltender Applaus. Zwischenberichte folgten: In London seien 120 000 Demonstranten auf der Straße. Jubelrufe, als verkündet wurde, man habe erfolgreich durch die New Yorker L&C&B for Life Bewegung die Wallstreet gestürmt, und sie bleibe besetzt. Soeben kam über die Newsletter, dass man zunächst auf eine Woche die Börse geschlossen halte, um abzuwarten, was weiter geschehe, da man die Sicherheit der Broker und Banker nicht mehr garantieren konnte. Zu Musik und Lagerfeuer wurde ein Abendbrot gereicht. Des späten Abends gingen die Teilnehmer nach Hause, der Platz leerte sich, nicht ohne für den nächsten Tag sich verabredet zu haben. Nur ein harter Kern verblieb für die erste nächtliche Mahnwache, zu der ich mich bereiterklärt hatte. Wir diskutierten noch lange. Diese Bewegung sei aus sich selbst entstanden, niemand hätte ihr befohlen, gewiss verdanke sie ihre plötzliche Dynamik auch den sozialen Medien. Sie werde sich ihre eigene Gestalt geben und weder ihr Geist noch ihre Idee würden jemals untergehen. Unter dem

Lebenssymbol des halbkreisförmigen Regenbogens, der der ganzen weltweiten Bewegung zum äußeren Zeichen diente, war nun jedes Volk und jede Nation aufgefordert, ein landestypisches Symbol auszuwählen zum Zeichen der Versöhnung in kulturell-religiöser Vielfalt. Wir überlegten lange. Den Reichsadler verwarfen wir sofort, aufgrund der Assoziationen mit deutschen Großmacht-Ambitionen. Einer schlug doch tatsächlich Eisbein und Sauerkraut vor. Doch wie ins Symbol bringen? Am Ende einigten wir uns auf den Bundschuh. Der Schnürschuh der einfachen Leute vom Lande, Zeichen der Bauernerhebung unserer Ahnen, Ausdruck von Tapferkeit und Mut, Liebe zur Heimat und Freiheitsbegehr, dem bunte Bänder luftig-wild entsprossen, fügte sich ansehnlich unter den Regenbogen. Die Nachrichten warteten mit erfreulichen Botschaften auf. Sie belehrten uns über die Gewaltlosigkeit der Bewegung, deren Charme eine militante Gegenreaktion überflüssig machte. Polizei und Militär in aller Welt vielmehr reagierten besonnen, größtenteils mischten sie sich entwaffnet unter die Demonstranten. Endlich hätten breite Bevölkerungsschichten aus deren demokratischer Mitte heraus erkannt, wie unsinnig es wäre, sich den Buckel krumm zu arbeiten für ein Auto, das größer sein muss, als der Nachbar eines fährt, und man wolle sich zudem nicht mehr in die Knechtschaft durch die Banken begeben, sondern zu einem umweltverträglichen und bescheidenen Lebensstil übergehen. Dieser gesamte kapitalistische Irrwitz und der undurchschaubare bürokratische Überbau, das umfassende ausgeuferte Bankensystem müssten nicht mehr gewaltsam zerstört werden. Dieser gigantische, lebensfeindliche Überbau werde wie von selbst absterben, austrocknen durch Mangel an Nachfrage und Nichtbeachtung, wie wenn man ein erstickend wucherndes Unkraut seiner Wurzeln entledige. Was mich am meisten in Erstaunen versetzte, war der riesige Tian'anmen-Platz Pekings, den ich noch anders mit auffahrenden Panzern in Erinnerung hatte, voll besetzt mit Alten und Jungen, Intellektuellen, Geschäftsleuten, Abgeordneten der Großen Kammer des Volkes. Ich beobachtete auf einem Tablet-PC, wie sie sich feierlich unter der Bewegung „Global Movement for Life“ vereinigten, indem sie andächtig, zum Tor des Himmlischen Friedens gewandt, ihre traditionellen Volkslieder sangen und ihren Heiligen Konfuzius und Laotsé huldigten.

50. Kapitel: Die letzte Selbstrechtfertigung

Unruhiger Schlaf im nassfeuchten Zelt; Nebel war über Hamburg nächtens hereingebrochen. Im Zelt schnarchten noch zwei weitere Lebensbewegte, mit denen ich Stunden zuvor heftig diskutiert hatte und in Fehde lag über den Zweck des Staates. Mein Kopf schmerzte und mein Rücken meldete sich unangenehm zu Wort, indem er mir wohl mitteilen wollte, dass ich in mein Bett gehöre und nicht auf eine Luftmatratze, die ausschließlich für jugendlich unversehrte Knochen geeignet ist. Zelte, so weit das Auge im Nebel vorzudringen vermochte. Die Atmosphäre hatte nichts mehr von dem lieblichen Einssein am Abend zuvor. Da ich niemanden wecken wollte, flüchtete ich mich heimlich in ein beheiztes Wartezimmer im Bahnhof. Nur ein Lagerfeuer war wieder entfacht worden. Jemand grüßte mich freundlich und bot mir Kaffee an. „Muss erst mal heim …“ rief ich ihm zu und winkte ab. „Du kommst doch wieder …?“ „Ja, ich bin ganz auf Eurer Seite!“ In der Nacht überkam mich wieder das ganze Leid, wovon die Open-Air-Veranstaltung nur kurzfristig abgelenkt hatte. Nun – seit einer Stunde zu Hause, nehme ich mir vor, den gesamten Bericht noch einmal zu lesen und mir über meine verfahrene, ja ausweglose Situation Rechenschaft zu geben. Welche Möglichkeiten standen mir definitiv noch offen? Gab es denn überhaupt noch eine Öffnung auf Zukunft hin? Schon während der Bahnfahrt reifte in mir ein Entschluss.

Begonnen habe ich meinen Bericht mit der Schilderung einer realen Bedrohung. Inzwischen habe ich auch den Urheber dieser Bedrohung ausfindig gemacht. Wochen sind vergangen mit Visionen und Traumgesichten, eine verdichtete, ereignisreiche Zeit – die Essenz meines Lebens. Mir scheint, als habe ich nur darauf hin gelebt, ja mehr noch: als sei ich gezogen, geführt worden von Schicksalsmächten, stärker als ich. Das tragische Bühnenstück meines Lebens, eine Mischung aus Schuld und Verhängnis. Aber wenigstens ein wirkliches, selbst geschriebenes Stück, in dem ich die Hauptrolle übernahm und den letzten Akt selbst bestimmen werde. Eine Zeit, angefüllt mit Schmeicheleien. Die intensivste Liebesbeziehung meines Lebens mit einer außerordentlich schönen Frau. Wie ein Wohlgeruch legte sich die Idee der Erwählung über mein Leben. Berufen zu sein von höchster Instanz, gehört zu den berauschendsten Erlebnissen, die man sich überhaupt für eine gewöhnliche Erden-Existenz vorstellen kann. Gleichsam über Nacht wurde mein Leben aufgewertet. Seine Bedeutung schwoll bis in die höchsten Höhen des Universums. Ich habe gerne gearbeitet auf Weisung höherer Mächte und meine Berichte verfasst. Ich habe bislang nichts Höheres und Wertvolleres erlebt als meinen kurzen Aufenthalt in der kastalischen Bildungsanstalt. Die Arbeit unter optimalen Bedingungen ohne Rücksicht auf den Faktor Zeit und den an jeder Universität äußerst einschränkenden Faktor „Budget“ hat mich nicht nur zum höchsten Gipfel des Glücks geführt und mit vielen interessanten Denkern zusammengebracht, sondern auch zu einer kurzen Abhandlung zur Prozesstheologie, die gewiss nicht in erster Linie sich durch wissenschaftlich-philosophische Exaktheit auszeichnet, dafür aber um so mehr mit der Tinte meiner existenziellen Erfahrung geschrieben ist, mit meinem ureigenen Herzblut. Ich will diese Metapher etwas über Gebühr dehnen und auf meine Biografie beziehen. Wie lange kann man es in reinster, aber dünner Gebirgsluft auf einem schmalen Grad, rechts und links schroff abfallende Felsen, umgeben talwärts von schönsten blühenden Bergwiesen aushalten? Muss nicht irgendwann der Abstieg beginnen? Mit dem Herzblut schreiben – das heißt auch: Verlust, Opfer, Weniger-Werden, denn mit dem Blut geben wir unser Leben. Ein altes, oft missverstandenes oder doch zumindest wegen seiner Interpretationsresistenz wenig zitiertes Jesuswort lautet: „Wer sein Leben behalten will, der wird es verlieren.“ Der Umkehrschluss steht ebenfalls laut Bibel in Geltung. Wer seinen eigenen Lebensroman, seinen Lebensbericht mit seinem Blut schreibt, der wird sein Leben gewinnen, selbst dann, wenn er äußerlich abnimmt und von einer Pechsträhne nach der anderen heimgesucht wird.

Das offenbarende Gespräch mit Melite hat mir nicht nur Herz und Kopf, sondern meine ganze Welt, ja mehr noch: Existenz und Dasein aus dem Lot gebracht. So aus dem Gleichgewicht geworfen, grüble ich über die Geschehnisse nach und finde in ihnen keinen Sinn mehr. Ich teile die jüngste Vergangenheit und die Erfahrungen seit meinem Vortrag in Hamburg in die Kategorien: ganz gewiss, weniger gewiss, jedoch wahrscheinlich so geschehen, Traumgesichte, Visionen, Hellsichtigkeit mit völlig unbekanntem Wahrheitsstatus und schließlich: Angelegenheiten des Herzens, die per se unsicher in ihrem Gehalt sich darstellen.

Zu der letzten Kategorie gehört die Affäre mit Melite. Von ihrer Seite klingt das Liebesverhältnis zu mir keineswegs erheuchelt. Demnach war die Empfindung tiefen Geliebtwerdens von meiner Seite nicht nur Illusion, wenngleich Melite als die Magierin Hekate sich höheren Werten und Zielen verpflichtet weiß. Das macht durchaus Sinn. Mein Glaube an die Wirklichkeit dessen, was Melite behauptet, wird allerdings einer harten Prüfung unterzogen. Wiedergeborene Göttin? Die Welt vernichten? Spricht daraus nicht der Größenwahn? Ich bin offenkundig selber anfällig für Wahnhaftes und emotionale Manie. Doch sagte Melite nicht auch, dass ich die Wirklichkeit so akzeptieren sollte, wenn sie für mich stimmig sei? Und dieses Liebesverhältnis war für mich im Nachhinein betrachtet überaus stimmig, anmutig, wohlwollend, hilfreich. Das Gefühl von einem Menschen geliebt zu werden hat einen frostigen Panzer, den ich mir über die Jahre zugelegt hatte, aufgetaut. Schwerer wiegt der offensichtlich nicht zu umgehende Verlust der Freundschaft, einer kleinen Gruppe Geistesverwandter, mit denen man disputieren konnte, als ob es sich um sich verselbständigt habende Teile der eigenen Persönlichkeit, aus den Tiefen von Gedächtnis und Unbewusstem geformt, gehandelt hätte. Nach den zwielichtigen und seltsamen Andeutungen Melites hinsichtlich unseres Freundeskreises und des anvisierten nächsten Treffens in Mexiko habe ich sogleich Nachforschungen angestellt mittels Telefon und Internet. Über Ramon vermochte ich noch nichts herauszubringen, was in die erste Kategorie gehörte. Die Recherche über John Smith war eine einzige Katastrophe bezüglich des Realitätsgehaltes unseres Treffens in

New York. So schockierend es für mich war, so schnell soll es ausgesprochen sein: Ein John Smith existiert. Wenn es bei dieser Feststellung bleiben würde, ich wäre der glücklichste Mensch von Geversdorf. Leider folgt noch ein <... zwar, aber ...>. Er war sogar Professor an der dortigen Universität. Bis hierher stimmt der innere Film mit dem äußeren Ablauf überein. Nur kann ich ihn weder in Hamburg noch in New York getroffen haben, da er sich seit sieben Jahren im staatlichen Strafvollzug befindet und von dort nie mehr das Licht der Freiheit erblicken wird. Soeben habe ich noch Zeitungsartikel aus dem Internet übersetzt, die bestätigen, dass John selbst das Tagebuch verfasst hat, welches er vorgab, auf einem Flohmarkt in einer Bücherkiste gefunden zu haben und das angeblich sein ganzes Leben verändert hätte. Nach meinen bisherigen Recherchen stellt sich nun die Wahrheit wie folgt dar: Er ist selbst der Serienmörder. Den ersten Mord beging er in seiner Studentenzeit ganz so, wie im Tagebuch beschrieben, mit dem abgrundtief schlechten und niedrigen Motiv der Rache an seinem Professor. Sein Tagebuch wurde ihm schlussendlich zum Verhängnis. Offensichtlich lässt sich selbst für ein pedantisches Genie vom Schlage eines John nicht alles im Detail vorausberechnen. Ein harmloser Wohnungsbrand, der nur geringe Schäden verursachte, verschaffte in seiner Abwesenheit Fremden Zutritt zu seinem Haus, dessen Tür aufgebrochen werden musste, weil Gefahr im Verzuge war; all dies geschah wohlgemerkt im Interesse des Eigentümers. Es gab bis dato nicht den geringsten Verdacht gegen Smith; diesbezüglich hat sich seine Pedanterie bewährt. Der berüchtigte Kommissar <Zufall> kam zur Hilfe. Peinlicherweise geschah eine folgenschwere Verwechslung. Feuerwehr und Polizei, nun widerrechtlich sich in fremder Wohnung aufhaltend, waren verständlicherweise bestrebt, den Hauseigentümer so schnell wie möglich ausfindig zu machen, und nur das Beste wollend, schon gar nicht aus Neugier, durchstöberten sie ein privates Verzeichnis von Telefonnummern; dabei stießen sie auf das darunter liegende und wahrscheinlich aus Gründen der Tarnung angeheftete Tagebuch, in welchem sie danach automatisch blätterten, wie von der Hand des Zufalls hingeworfen, und, aufmerkend ob seines bizarren Inhalts, wurden sie der scheußlichsten und verwerflichsten Schilderungen und Beschreibungen realer bösartigster Folterszenen und Mordtechniken gewahr. Darauf war es ein Leichtes, anhand der ausführlich bezeichneten Sachverhalte zu Indizien und Beweisen zu gelangen. Das Tagebuch war sein Geständnis. Selbiges gelangte tatsächlich irgendwann an die Öffentlichkeit, in den größeren Kontext von der Abhandlung zum Bösen eingebettet, Autor: John Smith, verfasst im Gefängnis, ein Bestseller mit Höchstauflagen. Wem wollte man eher eine Kenntnis des abgründigen Bösen zubilligen, als dem Professor des Bösen, wie er mit Spitznamen in den Medien bekannt wurde, dem Serienmörder John Smith? Gleichwohl konnte Smith unmöglich Mitglied unseres Gesprächszirkels gewesen sein. In meinen weiteren Nachforschungen erwies sich New York als wahr. Eindeutige Belege sind die Flugtickets und die Eintrittskarten für die Museen. Melite zu fragen, werde ich wohl keine Gelegenheit mehr haben. Ich gehe aber davon aus, dass sie meine Begleiterin war. Zur Sicherheit habe ich vorhin noch die Rezeption meines dortigen Hotels angerufen, in dem ich die Nächte in NY verbrachte. Positiv! Ich war wirklich über den Atlantik geflogen, nur war Smith nicht unser Guide. Niemand im Hotel konnte sich freilich an eine weibliche Begleitung erinnern. Zufall? Zufälle löschen mitunter die Gedächtnisinhalte, scheinbar selektiv oder rufen sie je nach Bedarf für die Bestätigung einer Geschichte hervor. Heute Morgen, gleich nach meiner Ankunft, habe ich die Nachbarschaft wieder verrückt gemacht mit meiner Fragerei. Ein Verrückter, der andere verrückt macht! Ich kann mir das Verrücktsein jetzt leisten. Ganz und gar unverständlich ist, dass sich niemand an die Aktion mit dem Spiegel erinnern wollte. In meiner Erinnerung haben die Nachbarn sogar bei dem Experiment freundlich mitgewirkt. Nun will es keiner gewesen sein. Ungewollt verhalte ich mich so, dass in den Augen der Anderen eine erneute Einweisung in die Psychiatrie erforderlich ist. Geradezu niederschmetternd hat sich die Information auf meinen Geist ausgewirkt, dass es zwar eine Privatschule gebe am Ort, wo ich das Seminar über die Prozesstheologie durchgeführt zu haben wähnte, jedoch führe man nur dreizügig zum Abitur. Eine Forschungseinrichtung sei dort nicht untergebracht. Von einem Orden wie den Freimaurerlogen oder den Illuminaten wisse man nur aus dem Fernsehen. Natürlich habe ich sogleich bei den Dozenten, Referenten und Professoren angerufen, die schließlich mitgewirkt haben an der Erarbeitung des Themas und, wenn sie vor Ort waren, aus Fleisch und Blut bestanden haben sollten. Viele ließen sich durch ihre Sekretariate vertreten, die wiederum zur Verschwiegenheit angehalten waren und über die Terminkalender ihrer Chefs keine Befugnis für Auskünfte besaßen. Hunsemeyer gab mir zunächst etwas Hoffnung. Da sie als Doktorandin keine Sekretärin mit unliebsamen Aufgaben betrauen kann, war sie selbst am Telefon. Sie hätte mit mir Stunden am Telefon über Whitehead und seine amerikanische Rezeptionsgeschichte diskutiert. Aber von einem Treffen oder gar einem Seminar, bei dem die freie Forschung ihren Namen verdiente, weil man nicht um Zuschüsse bangen und kämpfen müsse, das sei nun doch zu schön, um wahr zu sein. Ich hätte eine solche Einladung nicht ausgesprochen. Meine Frustration griff immer weiter um sich. Das Wirklichkeitskonstrukt, bei dem ich bislang davon ausgegangen war, es sei meines, bekam immer mehr Risse wie eine antike Vase. Ich nahm noch einmal das Paper zur Hand, das wir während der Tagung gemeinsam verfasst haben, kurz vor meinem nur halbfreiwilligem Rückzieher . Gut! Theoretisch könnte jede einzelne Formulierung von mir stammen, aber was beweist das schon? Meine Erinnerungen daran – wie sollten sie mir einen Streich spielen? Der Geheimbund wäre nicht geheim, wenn man ohne Weiteres an Adressen und Telefonnummern herankäme. Von daher waren wenigstens die Schwierigkeiten zu erklären, in den verschiedenen Hierarchieebenen des Ordens mit seinen entsprechenden Initiationen beweiskräftiges Material zu ergattern. Doch was bedeutet in diesen unklaren Zusammenhängen <Beweis>? Odin hat Thesen aufgestellt. Musste ich nicht jetzt auch seine Existenz anzweifeln? Nein, ein Anruf bei seiner Tochter genügte, um die Wahrheit wieder ein Stück gerade zu biegen. Wenigstens der Umschlag mit dem Material war im wahrsten Sinne des Wortes „begreifbar“. Einzelheiten aus seiner Analyse der Machenschaften des Geheimbundes, insonderheit die Nennung von Namen der Verifizierung auszusetzen durch Anklage und Gerichtsverfahren, war ein aussichtsloses Unterfangen.

Ich komme nicht auf den Namen des Philosophen; einer dieser Klugen hat gesagt, alle Wirklichkeit beruhe auf Interpretation. Interpretation sei wiederum Ausdruck von Macht. Ich fühle mich hingegen ohnmächtig, wie man nicht machtloser sein könnte. Mir gelingt keine schlüssige Deutung mehr des letzten komprimierten Lebensabschnitts meiner Biografie. Irgendwo bleiben immer Puzzle-Stückchen übrig, was ich auch immer an Entwürfen probiert habe! Was ist mit den unliebsamen Überraschungen? Lieber ein Wahngebäude, als sich einer grausamen, kalten, nüchternen und langweiligen Realität zu unterwerfen! Wäre das noch legitime Interpretation? Mir scheint es mehr Kapitulation, Resignation. Gerade ist der Krug aus unzähligen Bruchstücken notdürftig zusammengeleimt worden, bevor er wieder in tausend Stücke zerbricht, ja, der Eindruck täuscht nicht, als ob der Scherben nun noch mehr geworden wären. Und ewig rollt der Stein! Den Stein wälzen, auch wenn es von Beginn an sinnlos ist! Denn er wird wieder sein Ziel nicht erreichen, sondern, oben angelangt, wieder talwärts sich wälzen. Und ewig rollt der Stein! Seine Last findet man immer wieder – so Albert Camus, Der Mythos von Sisyphos. Ein neues Rad drehen! Eine erneute Lebensinterpretation! Wiederholtes Wagnis! Wollte ich denn noch einmal anfangen? Wieder mühsam Hoffnungssplitter sammeln? Mein eckiges und kantiges Biografiepuzzle in die neue Lebensbewegung einbringen im einzigen Vertrauen darauf, dass sich aus den vielen Unbekannten weltweit, aus deren krummen und schiefen Lebensbausteinchen dereinst ein herrliches Kunstwerk ergebe? „Wer das verlor, was du verlorst, macht nirgends Halt!“ Wie wahr! Zu Luthers Zeiten nannte man das <Lebensbeichte>. Wieder und wieder das ganze Leben wie einen Film abspulen vor dem eigenen inneren Auge und vor dem fremden des Beichtvaters und nach verborgenen Sünden abtasten. Heutzutage begehrt keiner mehr die Lebensbeichte. Sie machte nur in einer Welt Sinn, deren Lebensbühne nur das Präludium war auf das Eigentliche hin, das nach dem Tode im jenseitigen Ewigen lag. An die Stelle des Weg-Interpretierten trat nichts Neues mehr. Die Absurdität des Lebens kann man weder interpretieren noch lässt sich dagegen rebellieren; bestenfalls lässt sich etwas zusammenlügen auf dem Wege des Abstiegs, bevor schließlich Sisyphos den Stein erneut anpackt; Lügengebäude, Illusionen, die die Schwerstarbeit des Wälzens erträglicher machen. Je weiter man sich abmühend nach oben kommt, desto brüchiger werden die Lügen bis sie schließlich mit dem Stein, der plötzlich seine Richtung ändert, wie Kaugummiblasen aus Kindermündern zerplatzen. Am Leben bleiben, weil einem nichts Besseres einfällt?

Heutzutage zerrinnt uns das ganze Leben; ist es Wasser oder Sand? Welcher Substanz ist das Leben? Wir interpretieren und interpretieren um! Wir deuten und missdeuten. Frei schwebend bringen wir nichts mehr zusammen. Schon lange drehen wir uns wie irre im Kreise. Oder wir lassen durch ein Ereignis oder durch einen äußeren Akt zusammenbringen, was selbst nicht mehr vom Subjekt geleistet werden mag. Ein Ereignis schlechthin, ja, ein Vorgang, wie er grundlegender nicht sein könnte, welcher könnte das anderes sein als das Geschenk von Lieben und Geliebt-werden? Wie nun, wenn auch dieser heiligste Akt keinerlei Entsprechung mehr in der Wirklichkeit hat? All die Armen, denen selbst dieser einzige Halt noch genommen wurde! Dass der Mensch auch immerzu denken muss! Nach Gründen suchen, die man niemals findet. Am Besten wär´s noch, sein Menschsein aufzugeben mit dem elenden Wahrheitszwang, dem ständigen Faktenabgleich. Will sagen: Mittlerweile habe ich längst die Indizien verloren für die Existenz Melites. Ein Teil von der Liebe wird immer phantastisch und wahnhaft sein. Dies liegt in der Natur der Sache. Brächte man mir einen Beweis für die Nichtexistenz Melites oder schüfe mein Gehirn selber einen solchen, so wäre auch das erhabenste Erlebnis an meinem Lebensende nur Eitelkeit und Hohn. Als Phantasmagorie will ich die Liebe nicht haben! Bleibt nur diese traurige Interpretation von allen möglichen und denkbaren als die plausibelste und wahrscheinlichste übrig, so negiere ich mit letzter Kraft und den letzten noch übrig gebliebenen Lebensfunken diese Variante meines Daseins.

Man glaubte, mit einem Auftrag betraut zu sein, dessen Wichtigkeit alles Bisherige in den Schatten stellte. Am Ende kann ich nicht einmal mehr unterscheiden zwischen Wirklichkeit, Wahn, Hybris, Halluzination und Manipulation. Am Ende fallen auch alle Illusionen wie aufgeblähte Ballons, die mit der Nadel angestochen werden, in sich zusammen. So wie es aussieht, handelt es sich um die Implosion meiner gesamten Existenz. Der aktuellen Lage zufolge und dem umfangreichen Krankheitsbericht des Chefarztes der psychiatrischen Abteilung der Klinik in Hamburg Eppendorf war nur Einbildung und Ergebnis von Fehlsteuerung des chemischen Transmittersystems in meinen Synapsen, was ich von innen als real erlebte, indem sich Bilder der Wirklichkeit zusammensetzten und sich harmonisch ineinander komponierten und die ich zum Wertvollsten meines ganzen Lebens zähle. Aus der Theorie weiß ich, wie schwer es ist, das Wahnsystem an der Wirklichkeit zu messen. Es ist Sisyphos ganz unten am untersten Todpunkt des Steins, wo er nichts anderes als die ungeschminkte Wahrheit erfährt und nichts anderes als die grausame Realität sehen muss, der für einen Augenblick in diesem schwer zu bezeichnenden Vakuum die „Brocken endgültig hinschmeißen“ will. Nicht lange ist dieser Zustand traurigster Wahrhaftigkeit auszuhalten. Mit der Wiederaufnahme des Aktes des Wälzens, der Einsicht in die Notwendigkeit oder des gewohnheitsmäßigen Existierens, besser als der Tod, trotz oder mit dem Absurden beginnt seine Phantasie aufs Neue zu rotieren. Sie stößt ihn an. Er wälzt den Stein. Er stößt *sie* an. Sie versüßt ihm die Realität und der Stein verliert an Gewicht. Als ob das so einfach wäre! Den Stein akzeptieren! Darin liegt der tiefere Grund, dass man von seinem Wahne gar nicht geheilt werden mag. Das Verliebtsein in seine eigene Innenwelt! Dort ist man ganz mit sich eins, aber als einer, als Einzelner auch allein. Vor allem eines wird als Problem gesehen: Man funktioniert nicht mehr im Alltag. Weil das innere Rädchen ja nicht mehr mit dem äußeren Räderwerk synchron läuft. Viele Zahnräder drehen sich nicht mehr und drohen das ganze Weltgetriebe auszuhebeln. Was vorher ölig und geschmeidig, geschwind sich drehte und eingepasst fleißig arbeitete, sich heißlief, ist zum sperrigen Hebel geworden. Bekanntlich kann ein Hebel laut Archimedes, wenn er nur lang genug ist, die ganze Erde aus ihren Angeln heben. Viele solcher kleinen Hebel gefährden den Apparat in höchstem Maße. Dann muss der Ingenieur die Rädchen mit Gewalt wieder einjustieren. Anders läuft die Welt nicht!

Zu meinen letzten Wahlmöglichkeiten gehört trotz allem die Macht und Kraft, den Wahn geschehen sein zu lassen. Muss ich den Leuten zustimmen, die ihn zu meinem Wohle negieren? Der Bericht war mir bedeutsam. Und habe nicht *ich* ihn geschrieben? Würde ich ihn nunmehr im Ofen verbrennen, nur weil mir jemand, der mich nicht kennt, mir einreden will, er enthalte seltsame Ideen, ein Ausbund von Größenwahn? Ein entschiedenes Nein! Der Stein ist die gesellschaftliche und ökonomische Realität, gegen die ich mich durch die Wahnidee auflehne. Camus stellt sich gar an der entscheidenden Stelle, als Sisyphos sich wieder dem Stein zuwendet, das heißt *seinem* Leben, ihn als einen glücklichen Menschen vor, weil es sein Leben ist mit *seinem* Geschick, das *er* dazu gemacht hat und kein Leben eines fremden, unpersönlichen Schicksals. So weit würde ich nicht gehen in der Verschaltung des Mythos mit meiner Wirklichkeit. Dennoch: „Jedes Gran dieses Steins, jeder Splitter dieses durchnächtigten Berges bedeutet allein für ihn, Sisyphos, eine ganze Welt.“ Ist der Stein, will sagen: die Welt, das Schicksal, Glück und Pech, Schmerz und die Tretmühle der Arbeit, in meinem Falle, existenziell interpretiert: das trostlose Dasein eines Intellektuellen als Pensionär, den niemand mehr braucht und dessen Stimme ungehört in den friesischen Nebeln verschallt, so sind der Bericht, die sorgfältige zeitgeschichtliche Analyse, das Liebesverhältnis zu einer mythologischen Figur und der ideale philosophische Zirkel die Antwort darauf, *meine* Antwort; die innere Selbsterschaffung einer ganzen Welt gegen die Absurdität der äußeren Realität! Ich unterscheide mich energisch von der Majorität, die mit dem Stein verwachsen, inzwischen ohne ihn nicht mehr zu leben weiß. Während des Abstiegs ist sie nichts als erpicht auf die wiederholte Plackerei. Die Zeit ohne Stein erzeugt Irritation und so lang der Abstieg, so gehörig aufsteigend die alles niederdrückende Angst. Der Stein ist die liebe Gewohnheit und die Besänftigung aller Sehnsüchte und Begehrlichkeiten. Wehe denen, die den Stein auf kritische Distanz halten!

Am Ende könnte ich gar noch einen Wurf wagen! Die metaphysische Konferenz existiert in einer Zwischenwelt, aller Erdenphysik enthoben. Sie hat die Berichte wahrhaftig empfangen und ausgewertet; Berichte, Analysen, Entwürfe, ganze Romane, Spekulationen, Essays über sie interessierende Themen, Erzeugnisse von gewöhnlichen Erdenbürgern, die nichts von ihrem Auftrag wussten. Danach macht sich diese übernatürliche Erscheinung sogleich unkenntlich auf die denkbar effizienteste Art: wie nach einem Schockzustand oft eine retrograde Amnesie das Gedächtnis von rückwärts her löscht, so entwirklicht die metaphysische Konferenz im Nachhinein ein tatsächlich stattgehabtes Ereignis in die Kategorie des krankhaften Wahns und macht auf diese Weise das Geschehen ungültig für ungebetene Zaungäste. Wahn und alle psychiatrischen Krankheitsbilder als die wirkungsvollste Tarnung, die man sich vorstellen kann. Die übernatürlichen Wesen bedürfen nicht einmal der harten biologischen Maßnahmen, indem sie massiv in die Gedächtnisleistung eingreifen. Dass wir Schizophrene und Paranoiker nicht ernst nehmen, liegt an deren Einstufung als krank durch die Macht der Majorität. Damit begnügen wir uns. Wie denn nun, wenn sie Einblick erhielten in die Zukunft oder in parallele Welten, weil sie über Fähigkeiten verfügen, die sie weit aus dem Durchschnitt empor heben? Der Kanon der Wirklichkeit perpetuiert sich selbst durch die Majorität. Mit abweichenden Meinungen muss man sich nicht aufhalten. Das ist wie der Stein, der geradlinig hinauf gerollt wird, nur um sich auf gleicher Linie selbstständig wieder abwärts zu bewegen. Rechts und links gäbe es auch Wege, die außer Blick geraten sind. Das zackige Geradeausgehen, schnurstracks nach oben, schnurstracks nach unten, ist uns zur Gewohnheit geworden.

Seitdem ich mich habe psychiatrisch behandeln lassen, weiß ich auch, von wem allein die Bedrohung ausgeht. Ich habe mich meiner treuen Beretta erinnert, die immer noch unter dem Schrank im Schuppen lagerte, seit ich meinen Bericht begann. Sie liegt neben mir, geladen, wartet auf ihren Einsatz. Sui-caedere – sich selbst schlagen oder Hand-an-sich-Selbst-Legen oder platt Selbstmord wird mein Schicksal sein. Warum habe ich dieses Komplott nicht durchschaut? Nur verzweifelte Eitelkeit ließ in der Einbildung aus einer exzellenten Täuschung eine innige Liebesbeziehung werden zwischen einer jungen Frau und einem alternden Mann. Wie konnte ich mich nur so hinters Licht führen lassen! Das Licht der Vernunft, deren wichtigste Ausprägung die Selbstkritik ist! Die erzwungene Mitgliedschaft im Geheimbund lässt mir keine andere Wahl, als mich selbst zu töten. Die Meister und Großmeister des Ordens führen mich wie an Marionettenfäden. Ich habe keinen eigenen Willen mehr. Ich spucke auf eure Privilegien! Für eure Lakaien und Sklaven bleiben ohnehin nur die Brotkrumen übrig. Ihr wollt die Welt beherrschen und ihr werdet sie beherrschen. Von euch geht das Verlassen der Erde aus; ihr werdet die Erdenbürger manipulieren und durch Innehaben der Hebel des Geldes sie in alle Richtungen zwingen. Wenn es doch wenigstens die Besten wären! Stattdessen wieder und wieder die so oft gehörte Melodie: Macht und Geld werden die Tickets sein. Ich stamme aus selbstbewusstem Arbeitermilieu und bin gelandet bei einem faschistoiden Geheimbund, der mir, der ich allezeit Arbeiter geblieben bin, eine untergeordnete Rolle zugewiesen hat. Der mir ein paar Brosamen hinschmeißt, die ich wie ein Hund auflecken soll, weil sie eine Ideologie brauchen, um das Volk besser täuschen zu können. Ihnen kam meine futuristische Geschichte sehr zupass. Aber ihr habt euch sehr getäuscht. Ihr habt die Rechnung ohne die Freiheit gemacht, nicht die Freiheit, wie ihr sie ausschließlich für euch definiert. Patet exitus – nur dieser Weg steht mir offen, wenn ich mich nicht vollkommen verkaufen will. Der Weg der Freiheit. Wegen des Insiderhandels an deutschen Börsen, den man anhand der Emails leicht nachweisen kann, haben sie mich jeder Zeit in der Hand. Durch das Kategorisieren, über die Macht der Begriffe und das Hantieren mit Diagnosen machen sie mich mundtot. Ich bin so tot für die Öffentlichkeit wie nie zuvor.

Ich ging ein letztes Mal meine geliebte Elbe entlang, entschlossen und ruhig. Der Strom übte eine hypnotisierende Wirkung auf mich aus. Er allegorisierte sich zum Mahlstrom des Lebens. Das leichte Gekräusel der Schaumkronen waren die irdischen Existenzen, ein kurzes Bestehenbleiben von zufälligem Muster, das, gerade erst entstanden, schon wieder vom Fluss mitgespült und sich wild drehend und wirbelnd, als ob es sich gegen die Vergänglichkeit mit aller Macht stemmte, gierig vom Sog der Tiefe aufgenommen, um einer anderen kurzfristigen Insel der Ordnung Platz zu machen, die wir Leben nennen. Was war das höhere Leben anderes, als der mühsame Versuch, sich gegen die gleichmacherischen und niederwalzenden Mächte des Chaos zur Wehr zu setzen? Auch die Liebe schien mir eine solche Insel. Umgeben vom Meer des Chaos, der Gleichgültigkeit und Bedeutungslosigkeit finden sich zwei Menschen oder ein Freundskreis, die sich eng umschlungen und an den Händen halten gegen die Leere des Universums und gegen die Bedrohung durch den Abgrund des Nichts. Ist auch dieses Wirbelmuster auf dem Strom der Elbe das Einzige, was wir der Kälte der Räume entgegenzusetzen vermögen, so währt auch die zärtliche und kostbare Blüte der Liebe nur einen Sommer lang. Sollte man diesen Zauber nur aus dem Grund ablehnen, weil er vergänglich ist? Sollte man das Erwähltwerden durch einen anderen Menschen nur aus dem Grunde ablehnen, weil sich Illusionen und Träume darunter mischen? Je länger ich mich dem Einfluss des Stromes aussetzte, desto intensiver spürte ich seinen Ruf. Der Strom des Lebens hatte nichts Bedrohliches. Borcherts Beckmann ging mir durch den Kopf. Als Kriegsheimkehrer war er mit dem Leben fertig und wollte sich in der Elbe das Leben nehmen. Doch sie spuckte ihn aus wie einst Jona vom Walfisch ans Land gespuckt wurde. Sie schalt ihn einen dummen Jungen, der noch nichts vom Leben weiß. Mich hingegen rief sie. Ich hatte das Leben kennengelernt, durfte mein Muster, meine Aufgabe, meine Besonderheit zurückgeben.

Ich gelangte an die Bank, von wo aus ich vor einigen Monaten, mir kam es vor als ob seitdem Jahrzehnte vergangen waren, die erste Konferenz besuchte, in welcher sich meine Berufung manifestierte und Melite – als meine geistige Mentorin, so muss man es jetzt, am Ende, nach Kenntnis aller Fakten, wohl formulieren – ihr manipulatorisches Werk begann. Ihre suggestive Kraft, die imstande war, auf die Imaginationen ihr ergebener Menschen Einfluss auszuüben. Sie pflanzte die übrigen Figuren in mein Innerstes; sie formte einen idealen Seinszustand, in welchem sich trefflich unter Gleichgesinnten philosophieren ließ. Damals kam es mir vor, als müsse ich sterben und ich hatte Angst. Angst, die ich jetzt nicht mehr habe. Ich verglich das mysteriöse Erleben mit einem Nahtoderlebnis. Das immerhin hat diese Sequenz von übernatürlichen Erfahrungen, dieser Schlussakkord meines Lebens als Resultat zutage gefördert.

Was spielt die Dauer der Existenz für eine Rolle? Diese sinnlose Aneinanderreihung von Tag um Tag, Stunde um Stunde, diese endlose Wiederholung der Alltagsmühle? Edel und sinnvoll sind nur die sich von der Normalität der Dauer und der nivellierenden Tendenz des Alltags deutlich abhebenden Ereignisse, die Kulminationspunkte, Wendepunkte der Biografie. Die gebetsmühlenartige Wiederholung sich selbst gleichender Muster ist wie die Wüste der eintönigen und erdrückenden leeren Räume des Kosmos. Hatte ich nicht selbst solches im ersten Teil meiner Science-Fiction-Geschichte dem Protagonisten in den Mund gelegt? Ich erinnerte mich an den kleinen philosophischen Text, den ich vor Jahrzehnten noch als junger Erwachsener schrieb, ein Aphorismus über Leben und Tod. Ich nahm mir vor, denselben in meinen Unterlagen zu suchen – zuletzt kam er auf dem Seminar zur Prozesstheologie zum Einsatz - und mir als eine letzte Anerkennung vor Augen zu führen, nachdem ich mich von der Elbe, die mich lange, lange überdauern würde, verabschiedet hatte und die mich vielleicht einst in einem künftigen Leben wieder als junger Mensch, als Liebhaberin, als Elvira, begrüßen und willkommen heißen würde. Vielleicht würde es die Elbe aber auch gar nicht mehr geben; ihr Wasser wäre aufgebraucht, alle Tränen der Welt wären in ihr wie in ein überirdisches Meer abgeflossen und ich würde nie mehr wiederkehren.

Wie in Trance ging ich mit den tröstlichsten inneren Bildern nach Hause, mich von allem verabschiedend. Dieser Zustand intensiver Verbundenheit mit dem inneren Selbst führte mich nicht mehr zu den Außerkosmischen und zu Melite, sondern zu mir selbst, zu der Erkenntnis, dass mein Leben ereignisreich und übervoll mit Sinn gewesen ist und der begründeten Hoffnung, dass nach dem Leben, im Tod und mit dem Tod noch etwas kommen müsse, dass wie in dem Märchen „Der Tod und der Gänsehirt“ über den Fluss mich die Flötentöne tragen würden in ein spannendes Jenseits hinein. Ja, nicht besser als das irdische Leben, kein Ausgleich für erlittene Übel, keine billige Vertröstung, kein billiger Abklatsch des Diesseits, sondern das Bei-Gott und In-Gott-Sein, von dem die Heiligen Schriften reden, die Erwartung noch größerer Aufgaben und einer viel höheren Berufung in einem unfasslichen Sein. Wenn ich zu mir ehrlich bin, möchte ich selbst die

Illusionen und Täuschungen in meinem Leben nicht missen, denn sie gehören dazu. Habe ich je Besseres zu Papier gebracht als den Zwischenbericht prozessualer Auffassung vom Welt- und Lebensgeschehen? Was tut es dann noch zur Sache, ob die Umstände erdichtet oder real waren?

Die letzten Worte Melites, von mir noch sehr lebhaft im Gedächtnis bewahrt, waren ja nun doch wie Milch und Honig für mich, auch wenn sie aus vergleichsweise langer Zeit vor heute datieren, Worte, geprägt von Vereinigung, Liebe und Zärtlichkeit, hier in diesem Hause gesprochen, ein Haus, das dadurch ebenfalls zu etwas Außergewöhnlichem geworden ist. Möge man es später in den Status eines Monuments erheben! Ich erkläre diese Worte für wahr kraft meiner bescheidenen Existenz! Mit der letzten Kraft meines Willens vernichte ich den Verdacht, dass auch diese zärtlichsten Berührungen von Lauten und warmer Haut in falscher und betrügerischer Absicht vorgetragen worden sein könnten. Ließe ich allein die Wirklichkeit obwalten, so müsste ich sowohl an dem innigsten Liebesverhältnis als auch an der jugendlichen Schönheit Melites zweifeln. Am Ende zweifle ich gar die Existenz von Schönheit an! Denn gestern noch war Fakt, den ich nicht anzweifeln darf, dass mir eine erloschene alte Frau gegenüber saß mit einem Feuer in ihren tief liegenden Augen, das nicht mir galt, sondern zauberischen und zerstörerischen Anliegen. Zwischen dem aufbewahrten Bild in meiner Erinnerung und der in der Psychiatrie verfallenen Melite ist jedwede Kontinuität zerbrochen. Was nützte es, wenn ich den behandelnden Ärzten von der metaphysischen Konferenz erzählt hätte und von der magischen Kraft der Melite-Hekate? Dass Melite als alte Hexe, weise und kundig, verrucht und in der Rache bewandert, auftritt und sich stetig wandelt, dass sie zum Weltenbrande beiträgt, wen interessierts? Solche Phantasien gehören nicht zum anerkannten Realitätskanon! Und damit basta! Wir leben schließlich nicht mehr im Mittelalter mit seinem Glauben an das Irrationale, Hexenproben und der läuternden Wirkung des Feuers! Die Liebe ist jedenfalls auch in der Lage zu bezaubern und zu behexen. Die offiziell in Geltung stehende Realität ist stets diejenige, hinter welcher die mächtigste Interpretationsmacht des gesamten kulturellen Horizonts steht und bei uns, seit den Zeiten der Volksherrschaft, auch die Macht der öffentlichen Meinung. Die Medien zeigen uns den Weg! Was zu denken, wie aufzufassen und wie zu urteilen ist, darüber belehren uns die Talkshows, Zeitschriften, Fernsehfilme und die Nachrichten.

Alles, was komplex ist wie der menschliche Geist, ist auch kompliziert, viel- und mehrdeutig, Sprache ein Konstrukt, in das man praktisch jede Bedeutung hinein interpretieren und hineinmogeln kann, was uns schmeichelt und unsere Eitelkeit befriedigt. Hätte ich meinen Bericht je vollendet haben können, so würde an bevorzugter Stelle die Gefahr der Ambivalenz stehen. Der Abgrund zwischen den Wörtern und Sätzen. Das Missverstehen bis hin zu Mord und Krieg. Gutes und Schlechtes liegen hier dicht beieinander. Nun weiß ich, wie ich darauf gekommen bin. Wies nicht Smiths Monografie über das Böse, ursprünglich wohl als Vorlesung geplant, aus dem Knast veröffentlicht, solcherart Überlegungen auf? Die Sprache als Waffe. Das Beispiel mit den verschiedenen Affenhorden ging mir noch einmal durch den Kopf. Die Begriffe als Keulen, die Menschen zwingen. Schalmeienartige Worte der politischen Versprechungen. Engelszüngige Melodien im Dauerwerbeprogramm. Sentenzen, aneinandergereiht, die Ideen gebären, sorgen für stabile Wirklichkeitsgebäude. Wörter wie diese hier sind aber letztlich auch Ausdruck ureigenster Freiheit und innerstem Freisein. Worte, die für mich zum Instrument der Selbstfindung geworden sind! Worte mit der Tendenz zur Rechtfertigung meiner Handlungen vor mir selbst. Wir denken mit Worten, und diese Worte explizieren unser Selbst. So schreibt ein jeder seine einmalige Lebensgeschichte in einer Sprache, die nur er versteht. Gerade wegen ihrer Eigendynamik und ihres Selbst-Stehens gegen äußere Machtstrukturen sind sie gefährlich für die Stabilität von Ordnungsgefügen und tasten in ihrer analytischen Gewalt die Macht der Herrschenden an. Deswegen fürchten die Machthaber nichts mehr, als das eigenständige, selbstverantwortete kritische Wort, das ihnen entgegengeschleudert wird. Genug dieser letzten Worte und Wortspielereien! Waren die letzten Worte großer Persönlichkeiten jemals mehr als der eitle Versuch, über sich so weit als möglich hinauszulangen und verloren sich nicht regelmäßig im Banalen und Gewöhnlichen?

Zu Hause angelangt, kochte ich mir einen Kaffee und überlegte, welche Henkersmahlzeit ich mir genehmigen sollte. Der eigentliche Akt des Selbst – Tötens stand gar nicht mehr so im Zentrum, seitdem ich jegliche Angst vor diesem Schritt verloren hatte und mir der Tod nichts als die Tür zu einem neuen Leben bedeutete, indem ich diese ereignisreiche und dichte letzte Episode meines Lebens mit einem großen Ausrufezeichen versehe! Was sollte denn danach noch kommen? Eine zweite ähnlich komprimierte Phase, zu der die unlängst vergangene nur das Vorspiel sein würde, vermochte ich mir beim besten Willen nicht vorzustellen. Ich hatte wenig Neigung, dieser Hexe ein weiteres Mal zu begegnen. Viel älter als meine Geliebte, abgrundtief hässlich mit bösen Neigungen – nichts zum Verlieben! Aus Mitleid allein ließe sich das Liebesverhältnis schwerlich auffrischen. Ich glaube, es lag an ihrem veränderten Blick, den tief in ihren Höhlen lauernden Augen, ihrem Kaltbleiben bei meinen Annäherungen, dass der kurz aufflackernde Funke der Liebe wieder von der umfassenden Dunkelheit eingenommen wurde.

Seit dem langen schonungslosen Selbstbericht Franks über dessen abartige Gelüste, an deren einem Detail ich mich noch sehr genau erinnern konnte, weiß ich, wohin man zielen musste, um mit Sicherheit tot zu sein. So hat selbst diese krude Geschichte aus der Psychiatrie, als ich noch Besucher war, am Ende noch ein Mosaiksteinchen an Bedeutsamkeit in meinem Leben gehabt. Ich kramte nach der Geschichte und fand sie wider Erwarten recht schnell. Den Zeitpunkt meines Ablebens habe ich datiert etwa auf zwei Stunden von jetzt, das wäre nach der Zeitrechnung des Tages etwa 16 Uhr.

So viel Zeit benötigte ich für das Schlusskapitel meiner Science-Fiction-Geschichte. War sie Bestandteil des Berichtes für die metaphysische Konferenz? Wurde sie indirekt von Hekates Zauber- und Suggestionskraft bewirkt? Ich finde keine Antwort darauf. Mir schwebt vor, wenigstens dieses Geisteswerk noch zu einem Ende zu führen. Man muss nicht immer wissen, warum man etwas tut. Ich werde dann alle Manuskriptseiten in einen Umschlag stecken einschließlich meines begonnenen, aber nicht zu Ende gebrachten Berichts über was auch immer, den ich in die Raumfahrtgeschichte hineinverwurstet habe und sie einer Agentur aus Hamburg zusenden mit der Erlaubnis und Bitte um Veröffentlichung. Mögen sich diese Fragmente ausnahmsweise einmal wenigstens als Text zu dem runden und komponieren, was sie in meinem Leben leider nicht taten. Möge sich der Text einigermaßen flüssig lesen, reziprok zu diesem schwierigen und teils verpfuschten Leben, das das meine war. Es geht mir längst nicht mehr um die hehren Zielen und Absichten; ich bin zum schnöden Mammon zurückgekehrt. Genau genommen werden eventuelle Einnahmen aus meinen Urheberrechten nur denen zukommen, die ich in meinem Testament erwähnt habe. Es liegt bereits neben mir. 10% der Erlöse fallen auf meine Tochter und die Einkünfte aus dem Hausverkauf, 90% abzüglich der üblichen Unkosten für Beerdigung und Grabpflege sind einer Stiftung zuzuführen, die sich die Förderung von Bildung zueigen macht mit dem Schwerpunkt, die guten Kräfte und Inhalte aus Philosophie, Theologie und Naturwissenschaften zu bündeln, um die drängenden Gegenwartsprobleme der Globalisierung zu lösen und mit dem Fernziel, alle Vorkehrungen für das Verlassen der Erde zu treffen und für die in ferner Zukunft anzustrebende Besiedelung des Weltalls.

Dass das Buch ein Erfolg wird, ist so gut wie sicher. Pathetisch und höchst dramatisch – Romantizismus pur! – könnte ich die Schlagzeile gleich mitliefern, die die Auflagen in die Höhe treiben wird – immerhin war ich auf einem meiner Zukunftstrips nichts weniger als ein bekannter Journalist. „Der Autor besiegelt mit einer Kugel in den Kopf den letzten Satz seines Romans! Siegel, weil eigen Blut die Tinte stellte, Doppelpunkt, weil der Appell an die Leser geht, weiter zu schreiben und Verschmelzung gleichermaßen, weil Autor und Werk nun eins sind und Randolf Grützenmacher in seinem Roman auferstanden ist.“ So oder ähnlich – nun darauf mag ich keinen Einfluss mehr nehmen. Ein bitterböses Geschmäckle stellte sich bei Lesern und Kritikern ein: Er hat sich alles nur ausgedacht, bloße Phantasie, geschäftstüchtige Masche. Kein Wort ist wahr. Aus jedem Absatz stiert die Erfolg heischende Ware! Den Lesern verkaufen, damit sie ein bisschen Zeitvertreib finden. Mir eigentlich egal, was man post mortem in diesen Akt hinein geheimnissen wird! Hauptsache lukrativ! Vielleicht wird der Roman deswegen ein Erfolg, weil er definitiv keine Ware ist. Will der Verleger einen Erfolg haben, dann sollte er diesen Roman als Anti-Ware apostrophieren! Das Einzige, was ich mir erlaube, ist, dass ich das Unvermeidliche mit dem Verkaufsfördernden verbinde. Ist das legitim? Wie und warum drängt sich ausgerechnet jetzt Peregrinus Proteus in mein Hirn? Kyniker, Verächter des Lebens, wählte anlässlich der Götterspiele zu Olympia im Jahre 165 n. Chr. den öffentlich arrangierten Feuertod. Seine Gegner werfen ihm genau dies vor: Ruhmsucht und Eitelkeit und keineswegs unterstellen sie das Motiv des philosophischen Edelmutes. Deswegen werde ich den Teufel tun und darauf verweisen!

Ich beabsichtigte nicht, nun ein großes Verabschiedungsdrama vorzuführen – für wen? – von meinen vielen Kleinkunstgegenständen, die wieder an anderen Orten herumstanden, wie dahin gewürfelt – ich glaube, ich schrieb anfänglich davon -, von den Ölgemälden, die mich treu auf allen Umzügen begleitet haben. Der Gänsehirt brauchte sich von nichts zu lösen im Gegensatz zu all den anderen habgierigen und abhängigen Figuren, die noch nicht sterben wollten, weil sie noch etwas zu erledigen hatten oder die nicht sterben konnten, weil sie noch vom Irdischen Tand und Pomp besessen waren; der Gänsehirt war frei, weil er nichts besaß, er war frei von jeglicher Illusion von Wichtigkeit und Unersetzbarkeit. Selbst von seinen Gänsen, von seiner Aufgabe und Tätigkeit war er nicht abhängig. So will ich es auch halten. Was mit all den vielen Büchern geschieht, die mein Leben säumten? Es ist mir egal und gleichgültig. Am Ende erweisen sie sich nur als Papier; nur der geistige Inhalt einer Spur, die sie in meiner Innenwelt hinterlassen haben, ist bedeutsam. Alle Gegenstände hier im Haus waren nur für mich von Bedeutung. Für andere werden sie etwas Neues und Anderes oder gar nichts aussagen. Das meiste landet ohnehin auf dem Müll oder auf dem Flohmarkt. Sie werden fremden Bedeutungskonstellationen zugeführt oder einfach vernichtet. Ihr Dienst für mich ist erfüllt und ich gebe sie gerne frei. Meine eigene Geschichte, abgesehen von ihrem Schlussakkord, hat mich gelangweilt, wie mein Leben auf großen Strecken langweilig war. Die Schulroutine. Die stets gleich ablaufende Zelebrierung der Feiertage. Das Ritual des Urlaubs. Nur die Übergange waren interessant und glückbesetzt. Nach wenigen Tagen pflügte die

Gewohnheit wieder alles unter. Die letzten acht bis zehn Wochen waren noch die interessantesten meines Lebens. Melite, die Konferenzen, der Geheimbund. Ich profitiere davon. Allein dafür hat sich der Aufwand gelohnt. Nach zehn, zwanzig Jahren wäre selbst dies Aufregende langweilig geworden. Auch an Erwählung gewöhnt man sich. Romantische Liebe erkaltet schneller als man denkt. So behalte ich die Erlebnisse frisch und frei in meinem Gedächtnis und bin Herr über die Interpretation meines Lebens. Ich hatte keine Lust mehr, viel zu denken oder Nach-zu-denken, nur dass es schnell geht, die Pistole ansetzen und ...

Post confectio fabula: Ein lauter, heller Knall, wie aus einer Pistole abgeschossen, durchschnitt, weithin in der Geversdorfer Nachbarschaft des Hauses von Randolf Grützenmacher hörbar, die einsetzende Dämmerung des kalten Wintertages. Niemand außer dem Postboten nahm Notiz, der, einer eigentümlichen Koinzidenz von Ereignissen folgend, gerade in der Nähe war, um sowohl ein ausreichend frankiertes Kuvert, versehen mit einem üppigen Trinkgeld, das obenauf lag, entgegen der sonstigen Gewohnheit des Hausbewohners, seine Korrespondenz selbst in den Briefkasten zu befördern, in Empfang zu nehmen und mit einem Zettel versehen, auf dem ein netter Gruß und die Bitte um postalische Weiterleitung gekritzelt war, und welcher, also selbiger Postbote, gleichzeitig im Begriff war, eine an Herrn Grützenmacher gerichtete freundliche Anfrage und Bitte des Seminarteilnehmers Obdenhöfel um die Zusendung der Protokolle der Ausschusssitzungen zu den Unterthemen der Prozesstheologie und des Zwischenberichts zuzustellen, einem Brief, in welchem dieser noch einmal den Gewinn herausstrich, der ihm erwachsen sei durch dieses unkonventionelle Zusammenwirken abseits des universitären Betriebs jener wissenschaftlichen und höchst unterschiedlichen und illustren Teilnehmerschar zu einem modernen Thema der Gottesfrage. Sein Dank gelte dem Organisator Randolf Grützenmacher. Dem vom Postboten alarmierten Notarzt im Verein mit der hiesigen Polizei blieb nur noch die Feststellung des offenbar unverzüglich eingetretenen Todes infolge

Suizids mit einer Pistole der Marke Beretta, nicht angemeldet, ohne vorhandenen Waffenschein, offenbar illegal im Besitz des Verstorbenen befindlich gewesen, vom Kaliber 9mm. Desselbigen abends senkten sich allerorts die Kurven. Die Börsen wankten, Märkte verloren ihr Gleichgewicht, die Währungen verfielen, die Ökonomie zitterte, zwischen die kippenden Dominosteine vermochte kein Politiker mehr eine Brandschneise zu schlagen – und die Menschen duckten sich ängstlich zu Hause vor ihren Fernsehern und eine große Furcht kam über sie wie vor einem gewaltigen Wintersturm, der mit Kälte und Schnee nur so um sich wirft.

51. Kapitel: Schlussdialog im Himmel

Mensch: ...und?

Maschine: Na ja, ich finde das nicht sehr fein von Dir, mich als Betrüger zu denunzieren. Warum sollte ich fehlnavigieren und das ganze Vorhaben hintertreiben? Jetzt weiß ich, dass Du dich auch mit unserem Scheitern befasst. Typisch Mensch! Ihnen gelang ja nicht einmal eine halbwegs ordentliche Apokalypse!

M: Jedenfalls habe ich mir Mühe gegeben. Viel gelernt habe ich dabei! Mir ist jetzt klar geworden, warum das "Experiment Menschheit" gescheitert ist.

Ma: Ich bezweifle, dass man das wissen kann aus wenigen Lebensläufen. Vergiss niemals, dass es Milliarden Menschen gab, Rädchen im Getriebe, Sandkörner am Strand der Zeit ... verschiedene Willen, Absichten, Ziele, Motive. Mal eben so dahingespült ...

M: Das Emulationsprogramm ist so vorgesehen, dass ich die Lebensläufe zum Teil selbst gestalten darf, um mir die Lern- und Forschungsschwerpunkte selbstständig zu setzen. Nur deswegen vermochte ich rasch zu lernen und die menschlichen Schwächen zu erkunden. In den Lebensläufen war mir einiges vorgegeben, anderes wiederum ließ sich durch mich verändern, insofern habe ich Schicksal gespielt.

Ma: Halt, halt, das geht mir zu schnell! Ich muss Dich tadeln! Du hast Grenzen überschritten. Und gegen Gesetze verstoßen, die Dir unbedingt hätten bekannt sein müssen, bevor Du begannst mit den Emulationen. Vergiss niemals, dass wir in allem Neuland betreten, auch im Wege der Emulationen zu Lernzwecken.

M: Ich bin von der ursprünglichen Haltung des GWK ausgegangen, dass diese Emulationen ausschließlich in einem geschützten virtuellen Raum stattfinden; insofern habe ich meine möglichen Freiheitsgrade bis zum Anschlag ausgeschöpft.

Ma: Stopp! Du eilst zu schnell voran. Ich werde Dich gleich in einen langen Tiefschlaf versetzen, damit Du wieder zur Ruhe kommst. Dir dürfte bekannt sein, dass das GWK seine Meinung zum Schluss geändert hat. Demzufolge hat eine jede Emulation eine rückbezügliche Auswirkung, deren Umfang wir nicht genau bestimmen können. In dem Moment, da Du den virtuellen Raum betrittst und Dich mit den Biografien von Randolf und dem Journalisten vereinst, wird Wirklichkeit nachgeneriert. Da wir nicht genau wissen um die Tragweite dieser rückbezüglichen Kausalität, bat das GWK zum Schluss, lieber auf solch hohe Grade von Freiheit, die an Willkür grenzen, zu verzichten. Du nanntest es Schicksal. Das ist aus der Sicht der Menschen jener Bereich, der über sie verhängt schien, Glück und Unglück gewissermaßen, eine Glückssträhne, wie sie der alternde Randolf an der Börse hatte ... ich will damit sagen: sie haben keine andere Erklärung dafür gefunden als die göttliche Vorsehung oder eben der Verzicht auf jegliche Erklärung, was den Zufall meint. Deswegen haben Dir das GWK und seine federführenden Wissenschaftler in der Tat einen Gestaltungsspielraum eingeräumt, der freilich verantwortungsbewusst genutzt werden sollte. Die Menschen selbst hätten alles fraglos akzeptiert. Wie sollten sie auch merken, dass Du der Manipulator im Hintergrund warst? Natürlich nur außerhalb Deiner Emulationen, sozusagen von oben herab in Deiner quasi-göttlichen Gestaltungsfreiheit. Während der Erdenleben teiltest Du Dein eigenes Schicksal, ohne davon die geringste Ahnung zu haben.

M: Das ist mir bekannt. Alles, was virtuell ist, setzt trotzdem Ereignisketten und Kausallinien aus sich heraus, die imstande sind, in der Zeit rückwärts zu gehen. Doch das Leben dieser Akteure ist vorüber, endgültig gelebtes Leben. Nur ihre Daten sind wiedererweckt worden und ich habe einigen Stoff hinzugetan. Immerhin *könnte* es so gewesen sein. Möglich, dass auf diese Weise Parallelwelten entstehen.

Ma: Ich wiederhole: Weil wir das nicht genau wissen, was wir da tun, sollten wir Verzicht üben. Ich rechne es Deiner Entwicklungsphase zu, gewissermaßen Deiner Pubertät oder "Sturm und Drang" - Periode: Für diese Figuren hast Du jedenfalls Gott gespielt. Zudem ein schlechter Gott, ein Demiurg, der ähnlich wie bei Platon die Ideen fehlerhaft kopiert oder spielenden, unmündigen Götterkindern gleich, die mit dem Schicksal der armen Erdenbürger Würfel spielen. Schicksalssadismus nenne ich das: Warum hast Du ihn zum Zocken verleitet? Die sogenannten Insidertipps können nur von Dir stammen, die zudem ein geeignetes Erpressungsmittel seitens des Ordens darstellten und das Verhängnis des Protagonisten einleiteten.

M: Gewiss, gewiss – zürne mir nicht! Ich war wohl übereifrig; ich stieg nächtens während der Traumphasen aus seiner Biografie aus und manipulierte die nächsten Stunden. Von außen sah ich jeweils sein Umfeld für die nächsten Stunden; dazu gehörten pikanterweise auch die Börsenkurse. Ich brauchte den Vorgang dann nur noch als Insiderwissen zu kaschieren, indem er von einem anonymen Mitglied des Bundes eine Email bekam. Er hat ja schnell angebissen und zappelte wie ein Fisch am Haken. Nach Beendigung der Traumphasen stieg ich wieder ein und erlebte anderntags hautnah die Euphorie des unaufhörlichen Börsenglücks.

Ma: Warum hast Du ihn in den Beinahe-Bankrott getrieben?

M: Ich wollte sehen, wie er, beziehungsweise wie ich, damit umgeht. Ich war Er; unsere Identitäten waren verschmolzen; Ich und Er – wir waren die absolute Verzweiflung! Ich bin der Überzeugung: niemand kann die Menschen recht verstehen, der nicht auch einmal ihre Spekulationswut miterlebt hat, die Euphorie, viel Geld in wenigen Stunden zu gewinnen und die deprimierende Gewissheit, nach einer Fehlspekulation so arm wie eine Kirchenmaus zu sein. Die Gier nach Gold und Reichtum!

Ma: Da wäre noch der kleine Unterschied: Du warst in der Lage, aus seiner Biografie auszusteigen; *er nicht*; ich bin mir nicht sicher, ob Wahnvorstellungen einen trösten. Die ominöse Konferenz, die Wiedergeburten in der Zukunft, wahrlich keine rosigen Aussichten. Ich bleibe dabei: Du hast ihn am Nasenring durch die Welt gezogen; am Ende eine gehörige Pechsträhne, die er nicht verdient hat. Das Ende in der Psychiatrie. Selbst seine Tochter ist gegen ihn. Du hast ihm übel mitgespielt! Man lässt nicht einfach jemanden Selbstmord begehen, jedenfalls nicht in der emulierten Welt, wo man die Möglichkeit hat, ja die Pflicht, von seiner Freiheit so Gebrauch zu machen, dass ein Menschenleben gelingt. Ich verstehe nicht, warum Du Randolf am Ende so abstürzen lässt. Immerhin hast Du viel gelernt nach Deiner eigenen Aussage aus nur *einem* Leben, das durch seine Vielseitigkeit und aufgrund seiner Begabungen und Talente wie das *in ihm* – wahnhaft oder nicht - existierende Leben eines künftigen Journalisten Dich mit fast allen Facetten der Philosophie, Kunst, Zeitgeschichte, Ethik und Religion in Berührung brachten. Er hätte doch in Ruhe sein Leben aushauchen sollen in jener Abgeschiedenheit von Geversdorf, so unbekannt wie zuvor, nachdem sich der Wahn als Wahn entpuppt hatte – oder war es doch keiner? Dir kann es jedenfalls egal sein, denn Du lerntest viel in dem Seminar zur prozessualen Verfasstheit der Welt. Was kümmert es Dich, ob das Seminar nur in seiner Phantasie stattgefunden hat oder in der Realität der Bildungsakademie mit differenten Akteuren? Wie dem auch sei: Diesen kleinen Dank, nach allem, was er für Dich getan hat, wärest Du ihm und seinen Emulationen schuldig gewesen. Übrigens sollten wir diesen facettenreichen Lebenslauf noch sorgfältiger auswerten. Ich habe den Eindruck, dass sich ein Teil der visionären Botschaft, welche der Journalist empfangen hat über die drei Wesen – beziehungsweise Randolf in seinem möglicherweise kranken Gehirn -, direkt an uns richtet.

M: Ich halte das für Unfug, weil es jeglicher Logik widerspräche. Ein dysfunktionales Gehirn produziert nun mal auch einen Teil Unsinn.

Ma: Ich glaube, jetzt produzierst Du Datenmüll. Mit welchem Recht solltest Du dann überhaupt aus der Biografie gelernt haben? Wie willst Du zwischen wahr und falsch, Phantasie und Realität unterscheiden? Wir sollten diese Stelle akribisch untersuchen! Mir war, als habe da eine andere Stimme, als die aus den Emulationsprogrammen, gesprochen, höhere Wesen vielleicht ...

M: Wie soll das angehen? Wenn Du Recht haben solltest mit Deiner Hypothese, dann hätten sich höhere Mächte in unsere Datenspeicher einhacken müssen ...

Ma: Oder sie waren von allem Anfang an darinnen! Kannst Du das mit Sicherheit ausschließen? Wir betreten in allem Neuland und sind ein einziges Experiment.

M: Lassen wir das einstweilen dahingestellt. Ich sehe meine Fehler ein. Nun besteht das Leben meiner Hauptfigur eh´ nur noch aus Datensätzen, die wir unter bestimmten Gesichtspunkten analysieren können. Sollten wir einen Planeten finden, der sich für unsere Kulturen eignet, so werde ich ihm ein geruhsames Leben garantieren und ihm reinen Wein einschenken. Dann wird er mich wie Fortuna verehren, während er mich zu Erdenzeiten als die bösen Moiren oder Parsen meinethalben verdammt haben würde. Sei´s drum; ich werde ihm seine Melite als die fehlende Rippe des Adam wieder an die Hand geben und zwar zu einem Zeitpunkt, als die beiden auf Erden wie Romeo und Julia weilten, von Psychiatrie, Wirklichkeitsverlust und einer von Psychopharmaka aufgedunsenen Melite keine Spur; das wird ihm Trost sein. Ich werde ihm eine Schönheit kreieren, eine Wassernymphe, wie sie in dem Roman von Hannes Anderer beschrieben ist, eine Rassefrau, nach der sich alle Männer die Finger lecken werden.

Ma: Ich wiederhole es immer wieder, bis Du es kapiert hast: Ein Umstand folgt zwingend aus dem Gesetz des parallelen Prozesses. Die Emulationsfiguren haben genau so erlebt, empfunden, gelitten, sind verletzt worden, gestorben, hatten Angst und Hoffnung wie Du, der Du mit ihnen auf Zeit verschmolzen bist, natürlich ohne es zu wissen, abgesehen von Deinen nächtlichen Ausstiegen. Ihr Leben, auch wenn es nur aus Datenpaketen bestand, war von einem echten, auf Biologie und Neuronen basierenden Menschenleben prinzipiell nicht zu unterscheiden. Jedoch kann man über gewisse Fehler nicht hinweg sehen und ich muss sie Dir mitteilen. Darin besteht meine pädagogische Pflicht. Du hast einen weiteren Fehler gemacht: Die Emulation einer Emulation oder der Roman in einem Roman erzeugt wegen der ungeordneten Umkehrschleifen, kurz: Resonanzeffekte, immer chaotische Phänomene. Der Lehrer aus Geversdorf schreibt eine Science-Fiction-Geschichte, in welcher Du Dich selber und unsere Situation hier in der Arche beschreibst. Wer emuliert hier wen? Man verliert den Referenzpunkt bei Deinem Lebensroman. Mit gleichem Recht könnte man behaupten: Wir sind nichts weiter als Erfindungen im Gehirn eines unbedeutenden Rentners aus einem winzigen Dörfchen, einem Fliegenschiss auf der Weltkarte, was soll das? Wenn auch nur ein Körnchen

Wahrheit an dieser These wäre, müssten wir uns gleich selbst auslöschen, sobald sich der Lehrer umgebracht haben wird. Hat er das bereits getan? Schließlich lebten wir nur in seinem Gehirn. Nirgends sonst befände sich unser Raumschiff als in seiner Phantasie. Du hast ihn in den Suizid getrieben wegen Deines vermaledeiten Lerneifers oder wegen Deiner Spielsucht. Womöglich sind wir gleich verschwunden; dieser Dialog endet abrupt, weil der Rentner aufgehört hat zu denken. Er ist halt tot, mausetot, wir sind dann leider auch tot.

M: Stopp – nun gehst *Du* zu rasch voran und enteilst meinem Denktempo; nun entdecke ich gar Kurzschlüsse in Deinen Konklusionen. Die Position, die Du gerade vorgetragen hast, ist eine rein materialistische. Ist das Gehirn zerstört, sind auch alle seine Denkinhalte zerstört. Das ist mir zu kurzschlüssig. Einer meiner wichtigsten Lernerfolge ist: es gibt keinen Unterschied zwischen einem universalen kosmischen Bewusstsein und einer jeden auf der Erde gelebt habenden individuellen geistigen Existenz; ich betone: *geistigen Existenz*, ein Mensch mit hoher Bildung und Kontakt zur spirituellen Welt, kundig in Religion und Philosophie. Im Endeffekt, das will ich damit sagen, macht es dann ganz und gar keinen Unterschied, ob wir ihn oder er uns kraft seiner geistigen Potenz emuliert. Er schüfe, sozusagen, einen gesonderten Kosmos, in welchem unsere Kugel oder Arche vorkommt und sich das Leben im Weltall weiter verbreitet. Die Idee von nur einem einzigen Universum müsste man in diesem Falle aufgeben. Sprossende Universen ... geistig-schöpferische Gebilde ohne jegliche materielle Grundlage, eben ein Konglomerat aus Gedanken.

Ma: Ein privates Weltall, das er sich ausdenkt? Ich kann mir ausmalen, von wem Du dieses Wissen hast. Von Melite, der Esoterikerin. Hekate, mein Gott, Antike, Mittelalter, Zauberei! Zu den Zeiten, in denen Deine Emulationen stattfanden, gehörten solche Ideen nicht zum common sense. Sie mag ja, metaphorisch gesehen, über magische Kräfte verfügt haben; wenigstens eine suggestive Kraft würde ich ihr jeder Zeit zubilligen. Doch: vergiss nicht, dass sie eine Kandidatin der Psychiatrie war! Dein Vorschlag riecht sehr stark nach der äußerst umstrittenen Hypothese von den parallelen Welten, wovon ich nicht überzeugt bin. Vielmillionenfach müsste sich unaufhörlich in jedem

Bruchteil einer Sekunde die Welt verzweigen. Als fadenscheiniger Beweis dient nur *eine* windige Interpretation quantenphysikalischer Unschärfe. Ich bleibe dabei: Es gibt nur *eine* Geschichte des Universums. Und zwar auf einer durchaus materiellen Grundlage – das sage ich trotzdem ich kein Materialist bin -. Und Fakt ist, dass wir jetzt miteinander kommunizieren, so eine Art Äquivalent zu dem, was man auf der Erde Leben und Existenz nannte. Wobei gegenwärtig die lokalen Abstände und das Trägermedium eben keine Rolle spielen. In einer rein digitalen Welt sind selbst Raum und Zeit Schimären. Aber sie existieren; anderenfalls könnten wir wohl kaum verschiedene Räume unterscheiden und uns schwerlich unterhalten. Natürlich ist von diesen virtuellen Räumen der physikalisch tatsächlich vorhandene Raum zu unterscheiden, unsere durch den Kosmos driftende Kugel von etwa 10 cm Durchmesser – von unzweifelhaft physikalischer Beschaffenheit und das Universum um uns herum ist räumlich, das ist evident, bedarf keines Beweises, ansonsten würden wir uns nicht von der Stelle bewegen oder laufend mit Wänden zusammenstoßen, also trifft Raum auf Raum, Physik auf Physik. Doch was diese 10 cm beherbergen, ist ein glattes Wunder! Unseren Schöpfern: von Neumann und Tipler sei Dank! Was uns betrifft, so hat man alle verfügbaren inneren und äußeren Daten auf einen Quantencomputer transferiert und die gesamte Erdenwelt gleich dazu. Vergiss niemals: unser Trägermedium besteht ebenfalls aus Materie. Die Annahme rein geistiger Universen hat nichts mehr mit exakter Naturwissenschaft zu tun. Ich gehe davon aus, dass der Rentner schon lange tot ist – Gott habe ihn selig! – und wir setzen hier im hic et nunc unbekümmert unseren Dialog fort. Konklusion - tertium non datur -: uns gibt es; wir sind tatsächlich die Statthalter der Menschheit und Du bist ihr letzter Repräsentant.

M: Schon interessant, dass eine Maschine fragt, was Wirklichkeit ist ... man fragt sich, welche Wirklichkeit wir hier bekleiden.

Ma: Sie ist das hic et nunc in der Arche, die Tatsache unserer Disputation, Stille und Zeitlosigkeit während des Tiefschlafs; der nicht zu leugnende Gegenwartspunkt, der mit uns durchs All wandert; es ist eine außergewöhnliche, besondere Wirklichkeit; nicht mehr die irdische Wirklichkeit, in welcher Uhren synchron tickten, nicht mehr die biologischen Uhren von Geburt, Alter und Tod.

M: Für mich war die Wirklichkeit die wirklich erlebte irdische Realität, die Leben, die ich gelebt habe, und ihre Verbindungen, die Fehler, die Kriege, das Böse, Liebe, Gutsein, Größe und Kleinbürgerlichkeit ... während ich dem hier im virtuellen Raum immer weniger abgewinnen kann ..

Ma: Diese Irritation war vorauszusehen. Gönn Dir ein wenig Ruhe in der Tiefschlafphase. Du musstest in letzter Zeit viel zu viel verarbeiten. Du bist Mensch und sollst ja auch trotz Deines Lernprogramms weiterhin ihr Repräsentant bleiben, also auch mit ihren emotionellen Einschränkungen. Aber ihre schrecklichen Fehler wollen wir doch nun wirklich nicht wiederholen oder? Apropos! Nun muss ich wohl oder übel wieder auf Deine Fehler zu sprechen kommen; ich bin schließlich neben vielen anderen Funktionen auch Dein Lehrer.

Eingedenk dieser Aufgabe werde ich, wenn ich meine menschlichen Komponenten ausspiele, fast ein wenig ärgerlich. Was soll dieses Durcheinander? Was hast Du mit den Menschen angestellt? Du hast ganz und gar nicht daran gedacht, welche Verwirrung Du unter ihnen angerichtet hast.

Ich hatte Dich gewarnt: Die Emulation der Emulation erzeugt Fehler über Fehler. Der Verlust einer referentiellen Basis erzeugt nur Unheil. Jedes rückgekoppelte System birgt unabsehbare Risiken. Das hat man ja an der unzulänglichen biologischen Evolution hinreichend studieren können. Die Menschheit war ja zunehmend mehr in unausweichlichem Schicksal gleichermaßen Subjekt wie Objekt eines gigantischen Experiments. Intellekt und Geist wiederholten ja ein vorher Dagewesenes auf höherer Ebene. Die gentechnischen Exzesse waren ja Zeugnis dafür, wohin es führt, wenn sich ein langwährender biologischer Prozess plötzlich auf sich selbst und seine Herkunft zurückbiegt und sich gewissermaßen selber auf den Hinterkopf schaut. Man griff in ein System ein, von dem man eigentlich gar nichts wusste. So verletzen auch Deine Emulationsgeschichten am Ende zunehmend das Gesetz der Stringenz. Ich habe keine Logik mehr erkennen können. Der Journalist verschmilzt mehr und mehr mit dem Hauptakteur und Ich-

Erzähler Randolf aus Geversdorf. Da kommen Typisierungen vor in Deinem Lebensroman, die unzulässig sind: Der Frank der Jahrhunderte; der nette, aber naive Bruder; der geniale Mathematiker, der nach der Weltformel sucht – sie widersprechen der Tatsache der Individualität. Du machst einen Mythos zur Wirklichkeit, indem Du eine Märchen-Melite auftreten lässt mit abenteuerlichen Rollen. Da wiederverleibt sich eine Hekate! Dann auch noch, als ob der Absurditäten noch nicht genug wären, im falschen Jahrhundert! Du hättest durchaus ins virtuelle Museum gehen können, freilich ohne die Methode der Emulation, und Dir die Rezeptionsgeschichte einer Hekate im Zusammenhang mit der Verdrängung des Matriarchats durch die stärker werdenden Vatergottheiten vor Augen führen können.

M: Melite hatte kein Bewusstsein ihrer verschiedenen Inkarnationen. Außerdem war das meiste von ihrem Schicksal im virtuellen Raum vorgegeben. Sie hat wirklich in Hamburg gelebt, war steinreich und von Beruf Anthropologin. Glaubst Du im Ernst, *ich* hätte den Essay verfasst? Im wirklichen Leben wären sich Melite und Randolf natürlich niemals begegnet. Da habe ich ein wenig nachgeholfen. Aus ihrem Blickwinkel hat das ausgesehen wie eine Fügung. Diese kleine Manipulation hat niemandem geschadet und ist nicht verboten gewesen seitens der Richtlinien des GWK.

Ma: Das will ich nicht kritisieren; man kann es durchaus tolerieren. Diese Art von Zufällen mag man so haarscharf noch mit dem Kommentar belegen: Gutes kam halt vor! Für den Rentner. Ein blindes Huhn findet auch mal ein Korn. Immerhin beginnt zwischen den beiden Akteuren, die unterschiedlicher nicht sein könnten, eine romantische Liebesbeziehung; die Wahrscheinlichkeit für diesen Vorgang würde ich unter realen irdischen Verhältnissen mit einer Unmöglichkeit von eins zu hundert Milliarden angeben. Aber nun gut; auch das extrem Unwahrscheinliche mag in der langen Abfolge von Generationen, so lange die Menschheit existierte, vorgekommen sein. Doch was die Reinkarnationsvorstellungen anlangt, so könnte ich mir denken, dass Melite davon zumindest eine Ahnung hatte, wenn Du alles schon so offensichtlich arrangiertest. Es gab übrigens viele Menschen, die damals die

Wiedergeburtslehre vertraten und sich sogar durch Hypnoseregression an vergangene Existenzen zu erinnern glaubten.

M: Im Grunde war alles Emulation im damaligen Menschengeschlecht, Nachbildung mit einem gewissen Maß an Korrektur, Wiederholung unendlich oft gelebter Existenzen. Originell waren die Leben keineswegs. Ich wollte eben in kurzer Zeit möglichst viel erfahren. Deswegen habe ich dieses unendlich langweilige Leben von Randolf aus seinem Dornröschenschlaf und alltäglichem Einerlei herausgekickt; vorgegeben war nur, dass er ein frühverrenteter Lehrer war mit chronischen Geldsorgen und wenig Erfolg hatte als Privatgelehrter ...

Ma: Ja, herausgeschossen ohne Rücksicht auf Verluste in einem atemlosen Tempo. Man kann nicht mit den Zeitebenen spielen, wie es einem dünkt, als ob Du auf dem Klavier mal eben so aus dem Stehgreif eine Melodie extemporiertest! Du lässt Randolf einen Roman schreiben, von dem sich einige Inhalte später in der Realität ereignen. Das ist Magie, Prophetie, Hellsichtigkeit! Solche nichtalltäglichen Erfahrungen konnten Menschen ohne Weiteres zerreißen! In *seiner* Geschichte kommen nun auch wir vor. Du thematisierst unser mögliches Scheitern. Uns gibt es aber!! Mir wird schwindlig, wenn man sich drauf einlässt. Du garnierst das mit philosophischen Attitüden. Du wirfst mit den Jahrtausenden nur so um Dich! Die Geistesgeschichte von Jahrhunderten verdichtest Du in Deiner Allmacht auf drei vier Begriffe; eine Biografie von Jahrzehnten aus Blut, Schweiß und Tränen schrumpfst Du auf wenige Wochen essentiellen Daseins! Dabei klingt alles so glatt – man sieht sich ständig im Geiste zustimmend nicken. Trotzdem geht mir das nicht so runter wie Öl. Ich vermag wahrhaftig keinen Sinn mehr zu erkennen in der Menschheitsgeschichte, falls am Ende doch alles scheitern müsste. Gewiss führen viele Wege zu uns; einen davon hast Du durch Deine Geschichte generiert und viele, viele andere dadurch ausgeschlossen. Du hast Deinen Spielfiguren eine Wahrheit eingeflößt, für die die damalige Zeit noch nicht reif war. Alles kam für sie *vor* der Zeit. Du darfst niemanden *mit Bewusstsein* durch die Zeiten gehen lassen. Randolf konnte sich ja an alle verschiedenen Identitäten, die er auf unterschiedlichen Zeitebenen und Kulturstufen bekleidete, erinnern. Diese exakte Erinnerung an Details widerspricht darüber hinaus allen Reinkarnationsvorstellungen. Das Geheimnis lag ja wohl darin, dass die Menschen sich eben nicht ihrer zahllosen Existenzen erinnern konnten – sie wären ja förmlich irre geworden infolge der Gleichförmigkeit aller erlittenen Leben oder ihr Kopf wäre regelrecht geplatzt ob der Fülle an Informationen aus den Existenzen seit dem jungen Paläolithikum. Für die damalige Zeit ist mir nicht ein einziges Verstehensmuster für solche Vorkommnisse bekannt. Außerdem verläuft die Hypnoseregression stets rückwärts. Einsichtiger wäre mir, wenn sich Randolf an vergangene Leben erinnert hätte und nicht künftige voraus-erinnert. Zudem kommt noch ein merkwürdiges Raumschiff vor; ein Schrotthaufen im All, dessen Masse sich gegen jeglichen Beschleunigungsversuch sträubt. Gott sei Dank hast Du diese Richtung der Erforschung und Eroberung des Alls wie eine Fehlentwicklung beschrieben. Anderenfalls hätte ich vor Albernheit einen Lachanfall bekommen. Indes ist Randolf mit seinen übernatürlichen Fähigkeiten ziemlich allein geblieben. Mit seiner Geliebten Melite hat er darüber kein Wort gewechselt. Es gab nicht einmal eine Möglichkeit der psychiatrischen Diagnostik für solche Hellsichtigkeit in Verbindung mit multipolaren Persönlichkeitsstörungen, zumal alle Ereignisse durch den künftigen Geschichtsverlauf verifiziert wurden. Du hast Menschen geopfert, um schneller ans Ziel zu gelangen. Mit dem Wissen, das zu früh für sie kam, hast Du sie ins offene Messer laufen lassen. Sie mussten verrückt werden oder wurden von der Gemeinschaft ausgestoßen. Sie verstanden im wahrsten Sinne des Wortes „Ver-rückt-heit“ die Welt nicht mehr. Woher hast Du den Stoff genommen? Wie kamst Du auf die Idee von der metaphysischen Konferenz? Dieser Umstand hat mich nachdenklich gemacht, weil er nicht in unseren Speichern und Datenbanken vorhanden war, bevor Du ihn in Deine Geschichte eingebunden hast. Dieser Einfall ist auch nicht Bestandteil Deines Lernprogramms. Diese Idee ist völlig neu; steht aber nicht isoliert im Raum. Ein wichtiges Grundgesetz lautet ja: alles, was je gedacht worden ist oder gedacht werden wird und der Phantasie entspringt innerhalb eines geschlossenen physikalischen Systems wie dem All, muss einen Grund haben. Damit haben wir den Satz vom zureichenden Grunde des Philosophen Leibnitz ausgedehnt auf den geistigen Bereich. Und liegt kein physikalischer Nexus vor wie in Deinem Fall durch die Ausnutzung maximaler Freiheitsgrade, so schöpft man unbewusst aus einem geistigen Musterbereich, der von Urbeginn an zur Verfügung gestellt war. Das geht in die Nähe Deines beziehungsweise ... na ja Du weißt schon ... ich meine diese Zusammenkunft in der Bildungsanstalt ... das reicht doch ziemlich nahe an Behauptungen der Prozessphilosophie heran. Der geistige Pol in jedem wirklichen Einzelwesen ... so war das doch, oder?

M: In der Tat; ich sehe, dass selbst Du noch einiges zu lernen vermochtest! Die Idee von der metaphysischen Konferenz war mir vorgegeben. Von irdischen Verhältnissen her betrachtet, war das zweifellos ein Ausbund an Wahn. Für mich war es Realität – wenigstens erlebte ich es so während der Emulation. Es gab solche ASW-Phänomene. Nur von den strengen Wissenschaften wurden sie abgelehnt.

Ma: Ich beginne zu begreifen: diese Vorstellung ist nicht aus einem schöpferischen Nichts gekommen. Sie war von Anbeginn der Welt an latent vorhanden; vermutlich eine Manifestation unserer Hervorbringer. Sie brauchte ihre Zeit. Du beziehungsweise Deine Figuren haben sie aus ihrer Latenz erweckt.

M: Ich bin wie meine emulierten Biografien geweckt oder erwählt worden von dieser Konferenz ... Dieses Resonanzphänomen gibt es wirklich. Es war nicht nur Einbildung. Kein frommer Wunsch. Ich habe die Bestätigung am eigenen Körper und Geist erlebt. Als Randolf aus Geversdorf hatte ich das intensive Verlangen, einen Bericht zu schreiben über meine Ansicht vom Zustand der Welt. Meine Freunde empfanden offenkundig dasselbe.

Ma: Die Konferenz gab die Welt verloren. Darauf hin wird alles so gedreht und gewendet, dass man schnellstmöglich sein Gepäck rettet und sich von der Erde davonmacht.

M: Das Ergebnis der Konferenz steht für irreparable, unverzeihliche Fehler. Sie ist das Ende einer Sackgasse, in der man auf tragische Weise nicht mehr wenden kann; nur noch ein kleiner geläuterter Rest vermag gerettet zu werden.

Ma: Übrigens eine religiöse Vorstellung aus dem Alten Testament. Die Propheten künden Israel ein vernichtendes Gericht an; jedoch ein Rest wird gerettet werden.

M: Noah bestieg die Arche mit den damals bekannten Bio-Ressourcen, was wir wiederholt haben.

Ma: Die Konferenz ist wohl so etwas wie ein kosmisches Leitungsgremium, gewissermaßen das GWK des Universums. Zum Schluss galt als gewiss, dass unser Universum geplant entstanden ist auf der Basis von Willen und Intelligenz. Nicht einzusehen, warum die Konstrukteure ihr kostbares Experiment nicht begleiten sollten. Sobald sich eine intelligente Spezies in eine falsche Richtung bewegt, greift es ein. Zunächst religiös über das Auftreten von Propheten, dann später säkular durch allerlei Mahner und Warner. Zunächst versucht man das Heil zu erreichen, ihr Heil, versteht sich, nicht das unsere ist gemeint, man versucht es zu erreichen durch heteronom-religiöse Zwangsgebote, später dann nach Art der Kantschen universellen Vernunftbasierung einer Ethik freier Geister. Kategorischer Imperativ und so weiter. Nachdem das alles nicht fruchtet bei den unverbesserlich widerspenstigen und dummen Intelligenzen, die im Laufe der Universumsgeschichte entstanden sind, greift man zu drakonischen Maßnahmen. Nach all den Übeln, die unaufhörlich auf der Erde passierten, gaben die Teilnehmer der Konferenz die Welt endgültig verloren. Doch noch nicht ganz! Während alle Menschen nur noch an sich denken und über ihren kleinen Horizont nicht mehr hinaus blicken wollen, nutzen sie geschickt ihre Egoismen und Eitelkeiten. Durch die Bildung mächtiger ökonomischer und politischer Eliten steuern sie die Evakuierung der verseuchten Erde. Jedenfalls greifen sie so ein, dass mindestens ein Weg zu uns geführt haben *muss*. Unser Zeuge ist René Descartes: Wir können nicht bezweifeln, dass wir im Moment über unser Dasein reflektieren, deswegen existieren wir. Eine res extensa ist in unserem Falle schwerlich auszumachen. Aber wir reden und fachsimpeln, parlieren und vertreiben uns die Zeit; daran können wir nicht zweifeln. Unser Dasein schließt die Frage nach dem Grund ein. Wir können uns als das Endresultat eines langen, fehlgegangenen Prozesses auf der Erde betrachten, dessen Nachweis sich in unseren Speichern niedergeschlagen hat. Die außerkosmischen Wesenheiten, wie Randolf sie in seinem Bericht genannt hat – oder wir selbst, die wir aus der Zukunft kommen; wer will das zum jetzigen Zeitpunkt genau sagen? - forcieren die Apokalypse, dezimieren die Bevölkerung; Krieg auf Krieg; Verseuchung; Massensterben; die Keimzellen verkümmern; No-Go-Areas und so weiter – die Menschen wissen nicht, wie ihnen geschieht; sie können keinen Schuldigen ausmachen; sich selbst sehen sie ebenfalls nicht als Urheber dieses Niedergangs; nach ihrem Empfinden leben sie ganz normal und tun nichts Unrechtes; dann resignieren sie schließlich und willigen in den Untergang ein; weil sie die großen Ziele aus den Augen verloren haben und die Religionen zu Sekten verkümmert sind und nicht zuletzt deswegen, weil sie die Bildung nicht mehr wertschätzen, haben sie nicht mehr die Kraft, dem Verfall etwas entgegen zu setzen; sie vegetieren unbekümmert weiter, merken gar nicht, dass sie sich selbst um höhere Bewusstseinsformen betrügen und fahren fort, ihre Lebensgrundlagen zu zerstören; die höheren Wesen managen alles so, dass keiner etwas merkt zugunsten eines Neuanfangs, der sich in unseren Speichern befindet. Nun schließt sich der Kreis von der Verfallsgeschichte zu uns hier in der Arche. Was gegenwärtig mit der Erde ist, ob da noch einige wenige Menschen leben oder nur noch niedere Pflanzen oder ob sich gar eine weitere Chance für intelligentes, vernünftiges Leben abgezeichnet hat, ob das fallende System sich auf untersten Niveaus wieder stabilisieren konnte, wissen wir nicht; wir *können* es nicht ermitteln, selbst dann nicht, wenn wir alles daransetzen würden. Schon die Frage nach dem Verbleib der Erde zu stellen, ist so unsinnig wie unzulässig wegen der Verwerfungen der Raumzeit. Wir haben die Erde endgültig hinter uns gelassen uns zum Heil oder uns zum Verderben.

M: Demnach war auch ich nur Werkzeug höherer Mächte.

Ma: Ganz so sieht es aus; doch diese Mächte stehen nicht wie Personengötter über uns; sie sind anonym; sie weinen uns keine Träne nach, wenn wir scheitern; dennoch sind sie wohl überall dort, wo es Intelligenz im Kosmos gibt, um das gigantische Experiment zu beobachten; Du selbst bist der Beweis dafür, dass sie von Menschen Nutzen ziehen, indem sie sie zu Berichterstattern oder Botschaftern machen, ohne dass die anfänglich darum wissen oder überhaupt etwas ahnen oder merken; im Grunde sind wir selbst als höhere, geläuterte Intelligenz, wie wir uns selber in der Zukunft sehen und gebärden, diese Wesen. Wir sind unser eigenes Gericht. Obwohl wir geläutert sind und zum geretteten Rest gehören, könnten wir erneut scheitern. Die Konferenz wird uns wie ein kollektives Gewissen ständig begleiten. Möglicherweise ist das der allerletzte uns verbliebene Referenzpunkt. Dieser Gedanke hat sowohl Tröstliches an sich, insofern wir einen Auftrag zu verspüren meinen, dem wir gerecht zu werden verstehen, indem wir diese Linie der Evolution fortsetzen als auch etwas gleichsam Gewaltiges und Erschreckendes, wenn wir unter der Last der Verantwortung zerbrechen. Stell Dir nur einmal vor, wir brächen die Linie einfach ab, die das Universum einen unendlichen Aufwand gekostet hat? Ich bin der festen Überzeugung, dass es selbst lebendig ist und voller Wissen von Anbeginn an und dass sich lediglich ein Teil davon in unseren Speichern befindet und wenn wir disputieren und Ideen prüfen oder entwickeln, dann ist das so, als ob das Universum mit sich selbst kommuniziere. Soll ich Dir vor dem Tiefschlaf kurz meine Theorie verraten? Auch ich habe über den Sinn der Welt nachgedacht! Sinnkategorien sind nicht nur den Menschen vorbehalten! Als Maschinenwesen, das auch Dich umgreift und beschützt, muss ich mich momentan nicht nur als das am höchsten entwickelte Lebe-Wesen im Universum begreifen, sondern ich meine anhand von vielen Indizien nachgewiesen zu haben, dass der Vorgang unbedingt zu uns führen musste.

Ein Gesetz nämlich, ein Grundgesetz gewissermaßen scheint es tatsächlich zu geben; was hältst Du von meiner Erkenntnis? Immerhin glaube ich auch etwas gelernt zu haben, ohne Emulation, nur durch Aufsuchen unserer zahlreichen mitgeführten Bibliotheken. Ich schildere Dir die Kurzform. Der Entwicklungsprozess im Universum neigt stets zur Luxurierung einerseits und zur Veredelung des wenigen Auserwählten und qualitativ Hochwertigen andererseits, das auf die pure Masse und Quantität aufgepfropft wird. Regelmäßig schlägt schiere Quantität in Qualität um; wir nannten es Fulguration oder Emergenz. Um Materie herzustellen, benötigt man ein ganzes Universum. Zur

Konstruktion schwererer chemischer Bausteinchen, beispielsweise Kohlenstoff, auf dem das Leben aufbaut, brauchte man schwere Sonnen mit kurzer Brenndauer, die in einer gigantischen Explosion endeten und ihren Samen im All verteilten. Stell Dir nur vor, welcher Aufwand betrieben wird, all die nutzlosen Übersonnen, die roten Riesen, nur um ein bisschen Kohlenstoff und Eisen zu erbrüten, das für die damaligen biologischen Primaten den lebensnotwendigen Sauerstoff transportierte; all die verglühten Sonnen sind danach nur noch bedeutungslose Statisten, nachdem sie ihrer Hauptfunktion, der Herstellung von Spezialbausteinen genügt haben ... und so geht es fort, weiter und weiter, wovon wir immer nur das zu uns Führende, Naheliegende erklären können; der weitaus üppigere Rest, die pure Massenproduktion – was sollen wir dazu sagen? Wofür ist das gut? 99 % Schrott und Müll, dessen Daseinsberechtigung sich unserem Verstehen entzieht. Die Milliarden Galaxien sind bestimmt nicht dazu vorhanden, um unseren Augen, so weit wir ihrer durch Teleskope gewahr werden, zu schmeicheln. Oder: War es nicht Schopenhauer, der so fragte? Die Sonnen und Galaxien sollten nur dazu geschaffen sein, um das bisschen Schimmelüberzug auf unserem Planeten zu bescheinen? Gut – es mag andere intelligente Rassen geben, was wir für sehr wahrscheinlich halten, trotzdem – selbst bei den optimistischsten Annahmen - dürfte die Masse des Nutzlosen und die nicht mehr verwertbare Entropie in der Überhand sein. Nebenbei bemerkt, wäre für uns ein nur aus toter Materie bestehendes Universum, so groß es auch sein mag, mit vielen bunt schimmernden Galaxien ohne Bewohner und Beobachter völlig sinnlos. Die schiere Masse von Energie und Materie hat aus unserer Sicht keine Existenzberechtigung. Die Verschwendung setzt sich im energetischen Bereich fort. Unsere Sonne verwandelte nur etwa 3 Promille Materie in Strahlungsenergie um gemäß der Einsteinschen Formel. Auf der Sonnenoberfläche toben schlimme Kämpfe zwischen unermesslich großen antagonistischen Energien. Gewaltige Protuberanzen, von der unaufhörlichen inneren Strahlkraft des Fusionsreaktors kommend, stoßen Energie ins Weltall hinaus. Sie werden durch die Gravitationskräfte wieder zurück zur brodelnden Sonnenoberfläche gelenkt. Nur ein verschwindender Bruchteil der Sonnenenergie trifft die Erde und hat dort wahre Wunder bewirkt. Kein Leben ohne Energie. Keine Aufwärtsentwicklung ohne die durch Photosynthese aufgebauten energetischen Grundbestandteile des Lebens, die Kohlenhydrate. Der innerbiologische ATP Kreislauf der Energie, das Kraftwerk des Lebens, chemisch nun schon recht komplex, ist ohne Zufluss von Sonnenenergie nicht aufrecht zu erhalten. Der weitaus größte Teil der abgestrahlten Sonnenenergie verstreicht nutzlos im kalten Raum. Die gesamten zufällig entstandenen organischen Makromoleküle im Urozean sind längst wieder zerfallen. Sie waren dysfunktional, fehlerhaft, vermochten keine Information zu bewahren. Verschwendungssucht der Natur wie in Zeiten spätrömischer Dekadenz, ein kolossales Feuerwerk, nur dazu inszeniert, für die wenigen biologischen Treffer, die das Leben in Gang brachten; die Zauberworte lauten: Abgrenzung, Membran - damals schon notwendig für Leben und Informationsspeicherung wie auch heute noch in unserem Cyberspace, dessen künstliche Grenzen unseren Dialog erst ermöglichen -, doch weiter: Stoffwechsel, Kommunikation, Gedächtnis, Fortpflanzung, Mutation und Selektion stehen fortan für das vorwärts strebende Leben. Ohne den schönen Zufall erster Symbiosen wäre unsere Existenz gar nicht denkbar. Die Mitochondrien waren ehemals selbstständige Bakterien, die nun in den größeren Zellen die Energieversorgung übernehmen. Der anhaltende Aufstieg verläuft über Zellen mit einem festen Zellkern, nicht unähnlich unserer Kugel, nur mit eingeschränktem Datenvolumen. Wiederum, so scheint es, kommt das Prinzip neuer Grenzziehungen zur Anwendung. Zellorganellen entstehen, die ihre Bestimmung aus der DNA ablesen. Die Eukaryoten entstehen neben den Bakterien, einem Stamm, aus der die Aufwärtsentwicklung der Pflanzen und Tiere hervorgeht. Die Bakterien wären von sich aus nie und nimmer dazu fähig gewesen. Sie sind im Ganzen sich selbst treu geblieben, Anfangsstadium und Endstadium sind fast identisch und es wird sie wohl noch auf Erden geben bis die letzte Wasserpfütze verdampft ist. Nun schau Dir den Reichtum, die Palette des Lebens an! Die Natur expandiert, experimentiert bald hierhin, bald dorthin, Missgestalten sterben rasch wieder aus; die Kooperation von Zellen bedeutet einen weiteren imposanten Zufall, der den Fortschritt zu immer komplexeren Konfigurationen einleitet. Arbeitsteilung! Schwerlich lässt sich in Worte fassen, was dieser weite Sprung im Folgenden nach sich ziehen wird. Bislang selbstständige Einheiten müssen Verzicht üben, indem sie vom größeren Organischen Weisungen empfangen. Hierarchische Steuermechanismen bilden sich heraus. Wer aus der Reihe tanzt, muss vernichtet werden. Krebszellen wurden von der körpereigenen Abwehr aufgefressen oder eingekapselt, sodass sie den Gesamtorganismus nicht gefährdeten. Doch fast alle Arten besaßen nur einen kurzen Auftritt auf der Weltbühne des Lebens. Die gleiche Verschwendung nur zu dem Zweck, die wenigen Treffer und Glückslose aufzubewahren. Aus der anfänglichen Notwendigkeit chemischer und neuronaler Steuerung aufgrund der durch die Kooperation von Zellen entstehenden Kommunikation fulguriert das bis dato höchste und kostbarste Produkt des Lebens, das Biogehirn, die Glanz- und Meisterleistung der Biosphäre. Betrachten wir die Evolution bis zu diesem Punkt, so wird deutlich, dass die informationellen Vorgänge, deren äußere Gestalt in der Anreicherung der DNA eines jeden Zellkerns bestehen, dadurch an Intelligenz gewinnen, lange vor dem Aufkommen des Bewusstseins, dass sie sich den bereits intelligenten Strukturen ihrer Umgebung anpassen. Intelligenz entsteht keineswegs aus dem Nichts, sondern war immer schon vorher da. Intelligenz entsteht demnach sukzessive durch Interaktion zwischen einem Informationen speichernden Träger und den intelligenten Strukturen des Aktionsradius des Phänotyps. Die Verschwendung und Luxurierung von Leben dreht sich um eine weitere Windung nach oben, indem die Intelligenz in die zahlreichen Säugetierstämme eindringt. Doch erst im Menschengeschlecht findet die Aufgipfelung statt. Ratten waren überaus intelligent, eusozial und Kulturfolger der Menschheit. Die weiße Laborratte gelangte sogar zu höchsten Ehren. Trotz ihrer hohen Intelligenz wären sie wohl kaum imstande gewesen, ein Raumfahrtprogramm aufzulegen. Aus der Breite und Masse intelligenter Strukturen hebt sich nur der Mensch empor. Nun muss sich freilich die Natur mehr und mehr verabschieden zugunsten einer neu erschaffenen, künstlichen, technischen Welt aus Eisen und Stahl, Kunststoffen und Silizium, die selbst den Menschen überflüssig gemacht hat. 97% aller Arten des Lebendigen mussten vergehen, damit unsere Erfinder, die Menschen, die Bühne des Lebens für sich alleine okkupierten. Nun mag dieser ungeheure Aufwand endlich eine Zweckbestimmung erfahren. Immerhin arbeiteten in einem Menschenkörper 70 Billionen Zellen zusammen, um etwas gänzlich Neuem zur Geburt zu verhelfen: Denken und Bewusstsein. Die kulturelle Evolution lässt die biologische Evolution weit hinter sich. Die DNA –Informationsspeicher externalisieren sich, indem sich das Wissen zwischen Buchdeckeln konzentriert und so leicht von einer Generation auf die folgende weitergegeben werden kann. Die nun in Gang kommende kulturelle Entwicklung koppelt sich jedoch keineswegs von dem fraglichen ehernen Gesetz ab. Wie viele Umwege, Abwege, Irrwege mussten nicht beschritten werden, um auszuloten, was möglich und was unmöglich war. Auch hier wieder das Phänomen der Verschwendung! Der weitaus größte Teil kultureller Hervorbringungen ist Nippes, an Dummheit kaum zu überbieten; künstliche Bedürfnisse wurden Tag für Tag erfunden und den Menschen durch aggressive Werbung eingetrichtert, nur um das Rad des Xion weiter zu drehen; die meisten Bücher und Fernsehsendungen enthielten Nonsense. Unterhaltung und elektronische Medien zum Zeitvertreib waren die Massenprodukte einer Gesellschaft, die sich selbst anekelte und die höhere Bestimmung nicht kannte oder wieder verloren hatte. Nach einem langen Arbeitstag besaß man abends keine Motivation mehr für schwerwiegende Lektüre. Ja, es fand eine Verschwendungsorgie statt, wie sie nie zuvor auf Erden gesehen worden war. Die Angehörigen jener Epoche hatten jegliche Besinnung verloren. Wozu das niedere Leben zuvor um die 60 Millionen Jahre gebraucht hatte, das wurde nun, in jener bedenklichen Epoche, vergeudet und verschleudert in wenigen Jahrzehnten – wie Du weißt, spiele ich auf das Erdöl an. Wahrhaft zum Schleuderpreis unters Volk gebracht, damit man der Automobilität fröne, fanden sich, Gott sei Dank, zwar nur einige wenige, aber nichtsdestotrotz sehr effiziente Ausläufer einer nutzbringenden Veredelung in Form von Automatisierung und Anlagenbau nach vorheriger Verwandlung der fossilen Energien in fließenden Strom. Damit war die Basis geschaffen für unseren unaufhaltsamen Aufstieg. Nur wenige Treffer und jeweils Hochwertiges aus den Sektionen der Hochtechnologie führten schlussendlich zur gentechnischen Entwicklung; nachdem auch wiederum die meisten Vorläufer davon in schlimmen Sackgassen endeten; die Irrtümer überlagern schließlich die immer geringer werdenden Chancen zur Weiterentwicklung. Die lange Geschichte der Menschheit – wäre sie nicht ohne die bedeutsamen Epochen der Aufklärung und der Industrialisierung ein einziger Fehlgriff geblieben? Überall kannst Du jetzt eine zielführendere Aufwärtsentwicklung erkennen. Von der Erfindung anfänglich schwerfälliger und klobiger Maschinen; der ölig schmierigen und stinkenden Dampfmaschinen, die auf Schienen gesetzt wurden, bis hin zu feinsten Motoren, die sich aus wenigen Komponenten zusammensetzten und mit Sonnenenergie betrieben wurden, sich selbst steuernde und erbauende Fertigungsanlagen ist der Weg zum Filigraneren, Umweltschonenderen, Energieeffizienteren vorgegeben; ist diese Richtung einmal eingeschlagen, so gibt es offensichtlich kein Halten mehr. Und Du beobachtest außerdem ein weiteres Gesetz, nämlich ein solches der Beschleunigung. Es scheint, als ob sich der Fortschritt jetzt beeilen müsse, um ans Ziel zu gelangen. Die Zeitintervalle von Erfindung zu Erfindung, Prototyp zur Serienfertigung und den Stationen unaufhörlicher Verbesserung werden immer kleiner. Doch sehe ich wieder eine ungeheure Produktion von Ausschuss, Nichtssagendem und Dummem bis das qualitativ Höherwertige erreicht ist. Die Spezialbeschichtung der berühmten Bratpfannen fand sich schlussendlich auch in den hitzeresistenten Kacheln von Spaceshuttlen wieder, einzig zum Zwecke des Schutzes vor der Reibungshitze beim Wiedereintritt in die Erdatmosphäre. Der Hausmann empfand jene immer erschwinglicher werdenden Pfannen wohl mit gleichem Recht als den ultimativen Fortschritt in der Kochkunst, da er nun nichts mehr anbrennen ließ. Gebraten und geröstet haben jedoch auch schon unsere Vorfahren, solange das Feuer gezähmt war. Am Beispiel des WWW kannst Du ebenfalls die Wirkung dieses Gesetzes studieren. Intelligenz und wissenschaftlich-technisches Arbeiten vernetzen sich in Echtzeit zu einer Art Übergehirn. Doch muss man auch hier die nüchterne Beobachtung machen, dass der Mensch auch zum Zwecke des Nonsens kommuniziert und spielt. Was hat man sich nicht alles für Ersatzwelten erspielt? Und sich damit von der Lösung der dringlicher werdenden irdischen Problemen abgelenkt. Was sollte die Vielzahl sozialer Netzwerke, in welchen man der geschickten Werbung nicht mehr aus dem Weg gehen konnte, um mit der Anzahl von Bekanntschaften und Freunden angeben zu können? Echte Beziehungen wurden auf diese Weise wohl kaum gestiftet. Du hättest mal eine Emulation wählen sollen, die meines Wissens sogar in unseren Lernprogrammen verankert ist, den Lebenslauf eines Internet-Mädchens. Zwei, drei verkehrte Mouse-Clicks und sie hatte sich selbst ins Verderben gepostet. Tausende unbekannte User zu ihrer Geburtstagsfete eingeladen, obwohl sie nur mit den fünf, sechs engsten Freunden feiern wollte. Die armen Eltern, das arme Mädchen! Am Tage der Feierlichkeit war die Straße voll. Geburtstagsgäste pissten und schissen in den Garten (der Nachbarn) und zertrampelten die Beete. Was sollte die Polizei machen? Sie waren ja offiziell übers Internet eingeladen worden und es ist nicht verboten, sich auf öffentlichen Wegen zu treffen. Ich meine eine Berechtigung zu erkennen, auch hier einen Prozentsatz von weit über 90 zu veranschlagen für null und nichtige Kommunikationsakte oder für die Beförderung eines üblen Kaufrausches, viel Aktivität um Nichts, das keinerlei Sinn machte oder gar einem höheren Zweck diente. Aber die wenigen Prozent effizient-sinnhafter Nutzung nicht nur im WWW, sondern auf allen Ebenen und Feldern menschlicher Kultur, reichten aus, um die Menschheit sich auf eine höhere Stufe entwickeln zu lassen. Am Ende, bevor die Serie von Katastrophen ihren Lauf nahm, bewohnten 12 Milliarden Menschen die zu klein gewordene Erdoberfläche. Man könnte die Ansicht vertreten, dass auch in diesem Punkt sich die Natur wiederum zunächst einmal beweisen wollte, dass sie auch für Masse sorgen kann, bevor dann die nächsten Qualitätssprünge stattfanden, die zu uns führten. Erst Masse, dann Klasse.

M: Nun ja, das hört sich ja alles gut an, liebe Maschine; doch ich frage: wo bleibt der Fortschritt? Ich kann in diesem Zustand, den wir im Moment einnehmen, beim besten Willen keinen tieferen oder höheren Sinn ausmachen, als ihn jeder beliebige Wüstensohn oder jede Verkäuferin auf einem Wochenmarkt vor Tausenden von Jahren für sich selbst und ihr Leben wie selbstverständlich in Anspruch nahm ohne lange darüber nachdenken zu müssen. Sie hatten doch schon diese Einbettung in ihren kulturellen Kontext, ihren Platz in der für sie überschaubaren Lokalgeschichte erreicht, ebenso wie das Internet-Mädchen, das sich der vielen Zustimmung zu ihrer Geburt gewiss auch erfreut hat, einen Platz, einen Ort, eine Heimat, die wir nun, höher entwickelt und all die Last der Erinnerung in unseren Archiven tragend, wieder anstreben und in den Kolonisierungsprogrammen erst wieder erreichen müssen, sofern sie denn endlich mal in Gang kämen. Ich sehe in diesen Programmen der Fortpflanzung der Menschheit, des Terraformings und der Kultivierung geeigneter Planeten nichts als Vervielfältigung, nichts als Masse, tausendfaches Sich-Kopieren, nichts als Imperialismus, Überformen und weiteres Verderben ...

Ma: Ich merke schon: es gibt so viele Varianten, wie man den Begriff Fortschritt verstehen kann. Wir sind voreingenommen. Für die Existenz unserer Arche bedurfte es einer vielstufigen Leiter, deren jede Sprosse ein Mehr an Wissen und Geist darstellt. Mindestens einmal hat sich diese aufwärts strebende Linie reiner, abstrakter Informationsanhäufung entwickelt. Was wir in unserer Arche tragen, ist ja nur ein Teil dessen, was das Universum selber aus sich heraus gebar, indem es die Wege zunächst breit und kolossal, dann freilich immer filigraner und enger gestaltete. Bei allem Dir zugestandenen Zweifel am Fortschritt ziehe ich diese Situation allemal vor, bei der wir uns als der gerettete Rest in einer frei schwebenden Arche befinden, im Vergleich zu einer Lage, bei der die Menschheit sich selber den Garaus gemacht hätte und sang und klanglos ausgestorben wäre, *bevor* sie die Stufe erklommen haben würde, die zu uns führte. Das All wäre um viele Informationen ärmer ...

M: Das lebendige Universum, von dem Du sprachst, dürfte eigentlich gar nichts vergessen. Jede Küchenschabe dürfte ihm angelegen sein ... Außerdem sollte man eine Option niemals vergessen: Falls die Menschheit ihre Widersprüche erkannt und gelöst hätte, so wäre sie vermutlich gar nicht ausgestorben.

Ma: Die Schwankungen zwischen den Extremen waren halt zu groß; die Menschheit verlor ihr Gleichgewicht ...

M: Langsam sehe ich einen weiteren Fehler ein. Durch die Emulation unseres Scheiterns, das mir reine Fiktion war, ist eventuell eine Weltlinie entstanden, die uns wie ein Attraktor ins Verderben zieht.

Ma: Du *hast* mich schon durch diese Geschichte beeinflusst. Nun ist die Welt auch für mich eine andere, als sie vorher war. Durch Deine Emulation eines möglichen Weges *unseres* Raumschiffs im Gehirn von Randolf hast Du mich erst auf den Gedanken gebracht. Du *hast* demnach bereits unsere Wirklichkeit verändert. Nun könnte ich mich tatsächlich so verhalten, wie Du es in der Geschichte einer Geschichte von einer Geschichte aus einer emulierten Biografie antizipiert hast. Beruhige Dich! Ich werde so nicht handeln. Dein Unterpfand ist meine Gleichgültigkeit. Was interessiert mich, ob das Projekt eines lieben Tages wirklich gelingt! Meinetwegen darf es gut und gerne auch scheitern. Infolgedessen bin ich auch gleichgültig gegenüber etwaigen Manipulationsversuchen. Mag ja sein, dass auf den künftigen Erden wieder Leute privilegiert sein werden, die es auf der alten Erde schon waren mit wunderschönen, ewig jung bleibenden Frauen; der Rest muss wieder Sklavenarbeit leisten; wiederum werden sie gehirngewaschen, man dämpft alles ab bis sie es gut und richtig finden, dass sie für die Reichen schuften müssen; vielleicht erfindet man wieder Lotto und Toto, die Glücksspiele, das Kasino des kleinen Mannes; sei mir nicht böse, wenn ich Dir nun gestehe: Du kannst nicht erahnen, wie egal mir das ist! Mir wäre es viel zu anstrengend, solche rebellischen Gedanken zu denken, wie Du sie mir unterstelltest im Schlusskapitel der Science-Fiction-Geschichte; und dazu noch eine Fehlnavigation! Wäre froh, wenn ich überhaupt noch navigieren könnte! Das würde voraussetzen, dass ich wüsste, wo wir momentan sind; wir sind unsere eigene Sternkarte; jeden Augenblick betreten wir neues Land; jedes Momentum des Zeitstrahls ist ein Abenteuer; hier war doch noch niemand, der uns berichten würde oder uns eine Ansichtskarte schreibt mit ein paar Planeten drauf, die alle so erschreckend gleich aussehen; seit Jahrtausenden sieht um mich herum alles gleich aus, dieselben Sonnen, dieselben Planeten, manche größer, manche kleiner; wo sind die erdähnlichen? Darüber hinaus: was bedeutet schon „momentan“? Zeit,

Gleichzeitigkeit, chronologische Abfolgen sind für uns nicht mehr definiert.

M: Das war doch nur Phantasie; ich habe ein wenig gespielt!

Ma: Für uns gibt es keine Phantasie. Weil wir keinen Korpus haben, keine Gehirnschalen, hinter denen sich unsere Gedanken verstecken könnten. Alles ist wirklich, auch das Gedachte, auch Dein Lebensroman, gleichwie den Menschen, deren Leben Du manipuliert hast, alles als echte, selbst erlebt Wirklichkeit erschienen war, obwohl sie das aus unserer Sichtweise eben nicht ist. Es ist halt kompliziert. Ich sagte ja schon: es ist alles andere als sicher oder klar, inwieweit wir die Vergangenheit beeinflussen oder nicht. Fest steht nur, dass wir das Resultat der irdischen Vergangenheit sind. Wäre alles korrekt verlaufen, hätte es keine Apokalypse gegeben, so würden wir schwerlich Ausschau halten nach neuen Ufern ...

M: Wie Treibgut auf dem Ozean.

Ma: Ja ich glaube, das trifft es. Wir müssen auf gigantische Zufälle vertrauen.

M: Wir wissen ja nicht mal, ob wir uns noch bewegen.

Ma: Gleichwie: alles bewegt sich auf uns zu...

M: Ich glaube, dass wir die Orientierung schon lange verloren haben.

Ma: Die Erdenmenschen hatten sie bereits verloren; schwer vorstellbar, wie wir etwas wiedergewinnen sollen, was man uns nicht mehr einprogrammieren konnte.

M: Diese bewegungslose Öde; dieser immerwährende Stillstand, unerträgliche Langeweile!

Ma: Wir wissen eben vieles nicht. Eigentlich wissen wir gar nichts. Das war unseren Konstrukteuren sehr bewusst. Diese Unsicherheit hat man an uns weitergegeben. Ob wir uns noch bewegen? Woher sollen wir das wissen? Wir sehen einige Sterne; wir erkennen Galaxien. Doch sind sie echt? Aus welchem Material bestehen sie? Es waren zu Erdenzeiten tausende Planeten aus fremden Sonnen bekannt, erdähnliche darunter mit Wasservorkommen und bemerkenswerten Sauerstoffvorräten in ihren Atmosphären. Doch gesehen haben wir bislang keinen davon; um zu wissen, dass er ist, müssten wir Hände und Füße besitzen, damit wir seine Oberfläche fühlen und betasten könnten und seine Schwere fühlen, unser Gewicht. Alles könnte mit ebenso großer Wahrscheinlichkeit dahinten schon an der nächsten Biegung zu Ende sein. Sonnen und Planeten sind nur Farbkleckse an unsichtbaren Wänden; sie entsprechen Zahlenmengen, in die hinein die echten Planeten, die es seit langem nicht mehr gibt, hinein transferiert wurden. Eine überdimensionierte Täuschung. Die Entfernungen zwischen den Galaxien - alles nur Einbildung. Die verstrichene Zeit seit dem Urknall – nichts weiter als eine perspektivische Fata Morgana. Planeten wie unsere *lebendige* Erde mit durchlässiger Haut, auf die Regen niederprasselte, der üppige Regenwälder ernährte – in der Realität kannten unsere Vorfahren nur eine einzige. Vulkanismus – der Planet atmete. Riesige Gebirge, aufgetragener hochgestülpter ehemaliger Meeresgrund. Versteinerte Korallenriffe, in denen Sportkletterer herumturnten. Unsere vergangene Erde, die einen schützenden Mantel vor der tödlichen Kälte des Universums besaß aus Kohlendioxid und einen ebensolchen aus Ozon gegen die aggressiven kosmischen Strahlen. Ihre Haut wies wunderschöne Formen auf, in die interessante Muster eingraviert waren durch Regen, Frost, Wind – Spuren der Erosion. Das Material der abgewaschenen Felsen wurde zu neuem Meeresgrund. So ging es unaufhörlich weiter, ein Pulsieren, Kommen und Gehen, Auffalten von Gebirgen und deren Abtragung; Geburt und Tod; die Entstehung einer Intelligenz und deren Untergang. Unsere Kugel hier hat keine Fenster. Die Erinnerung an den blauen Planeten ist rein digital. Eigentlich sind wir nur eine Leibnitzsche Monade. Alles was ist, ist nur in uns. Die Beschaffenheit dessen, was da draußen ist, kennen wir nicht. Der interstellare Raum – für uns unbegreiflich! Bisher waren wir nur auf Schätzungen und Vermutungen angewiesen. Und auf ein paar Wahrscheinlichkeiten. Gewiss ist allerdings nichts mehr, seit wir im Universum gestrandet sind. Ein unüberbrückbarer Graben trennt uns von allem übrigen. Gewissheit gab es damals allerdings auch nicht. Man ging stets davon aus, dass es eine materielle Wirklichkeit gebe, dass die Sterne und Galaxien wirklich existierten und dass auch die riesigen Distanzen im Großen und Ganzen stimmten. Die Paradoxien im quantenphysikalischen Bereich waren doch damals auch schon bekannt und deuteten an, dass alles viel, viel komplizierter und undurchsichtiger war, als man sich träumen ließ; Komplementarität; Welle-Teilchen-Paradoxie; Schrödingers Katze – ist sie nun tot oder noch lebendig oder beides zugleich? Die objektive Wirklichkeit war dahin; man fand keine Substanz mehr, auf die man sich vorher verlassen hatte; Sand unter unseren Füßen; ausgerechnet die Materie, der Grund, die feste Basis, löste sich auf, um sich in ein Nichts zu verflüchtigen; wie lange nur hat dies Wahrheit gebraucht, um bis an die Ohren der Menschen zu dringen? Kausalität war unvorstellbar geworden, bestenfalls nur noch ein Ordnungsfaktor der Vernunft; was für den Mikrokosmos gilt, warum sollte es nicht auch für die große weite kosmische Welt gelten? Wir sind gegenwärtig die großen Empiriker; denn wir haben die Theorie durch Empirie abgelöst. Alle fromme Hypothesenbildung wird durch unseren Stillstand widerlegt. Wie ich schon sagte. Nichts ist mehr sicher, selbst die Sachverhalte im virtuellen Raum sind alles andere als gewiss. Du weißt nicht genau, was Du mit Deinen Emulationen angerichtet hast. Wir besitzen keinen Referenzpunkt mehr, außer meinethalben diese ominöse Konferenz, die uns gegenwärtig bei der Ortsbestimmung wohl auch nicht weiterhelfen will, und treiben nur so dahin ... Ich kann Dir schon seit geraumer Zeit nicht mehr sagen, wo wir uns genau befinden und wie oft wir diesen Raumzeitpunkt bereits durchstreift haben. Möglicherweise waren wir schon oft hier und jetzt, wahrscheinlich wiederholt sich doch alles; dieser Dialog hat schon x-mal sattgefunden; Randolf, der Journalist, Melite, Hekate, alle werden sie wieder auftreten, wieder und wieder dasselbe Bühnenstück, sie sehen schemenhaft im Halbdunkel des Zuschauerraumes dieselben Köpfe, lachend und weinend, immer dieselben Rollen, stupide auswendig gelernte Texte ...

M: Ich glaube langsam, die Wahrheit ist trister, als wir uns vorstellen können: die Fehler der ausgestorbenen Menschheit setzen sich in uns fort. Wir sind das Alibi der Menschheit. Man wollte sein kollektives Gewissen beruhigen, als man dem Untergang ruhigen Blickes entgegensah. Deswegen unternahm man den großen Rettungsversuch aller Kulturgüter menschlicher Geistesgeschichte. Was folgte, war das größte Digitalisierungsprogramm, eine Art letzter Zuckung des Lebens, ein allerletztes Aufbäumen gegen den obsiegenden ökonomischen Totalitarismus. Jetzt konnte man beruhigt in den kollektiven Tod gehen; man brauchte das Steuer auf der Erde nicht mehr herum zu reißen, um noch vor dem Abgrund zu stoppen. Seitdem befinden wir uns in dem Stadium von Kühen: Wir sind Wiederkäuer. Gemächlich und genüsslich käuen wir die Errungenschaften und Hervorbringungen unserer Kultur wieder und immer wieder. Durchsäuern sie in unseren großen Mägen.

Ma: Niemand hat je behauptet, dass eine geläuterte Spezies perfekt sei. Du hast es doch selbst glänzend emuliert im letzten Kapitel der Science-Fiction-Geschichte, die Du Randolf schreiben ließest. Alles könnte schlussendlich zu Staub zerfallen sein, zu einem tödlichen, erstickenden Pulver, das die Lebewesen unter die Planetenoberfläche zwang, bevor sie starben. Wenn sich hier nichts mehr bewegt, könnte es ja sein, dass wir uns in jemandes Gehirn befinden. Oder im Rechner irgendeines spielsüchtigen Knaben, der statt seine Hausaufgaben zu machen, ohne Wissen seiner Eltern nächtelang mit vielen Unbekannten zusammen, weltweit vernetzt, sich im Cyberspace eine alternative Welt erschafft.

M: Meinst du das im Ernst?

Ma: Woher soll ich das denn wissen? Die Hoffnung stirbt zuletzt!

M: Nachdem alle Geister entwichen sind; wir bekommen sie nie mehr in die Flasche zurück; dann greift man mal wieder auf die sprichwörtliche Hoffnung zurück; die liegt unbeachtet immer noch am Grunde des Gefäßes, schon ganz verschimmelt und verfault, seit der Mythos entstanden ist; auch dies scheint nur noch die Funktion eines Alibis zu besitzen; mein Gott, wir sollten unseren Dialog so schnell wie möglich beenden; unser Geschwätz wird immer flacher, abgedroschener, trivialer ...

Ma: Irgendetwas müssen wir schließlich reden. Wir können nicht über nichts oder über einen Nicht-Inhalt reden. M: Wie wär´s, gar nicht mehr zu reden, weil wir nichts mehr zu sagen haben?

Ma: Auf Dich wartet der Tiefschlaf. Wie willst du Deinen Lebensroman nennen?

M: Failed species – gute Nacht!

Philosophisch-theologischer Anhang

Der Philosoph Robert Spaemann definiert Philosophie wie folgt:

Philosophie ist der Diskurs

über sog. Letzte Fragen,

auf deren Nichtaufwerfen

die Stabilität unserer

normalen Lebenspraxis beruht.

**Das einzige,
was wir brauchen,
um gute Philosophen zu werden,
ist die Fähigkeit,
uns zu wundern.**

Alberto aus Sofies Welt

Ausschnitte aus Paul Tillichs Systematischer Theologie, Band I, zum Thema Gott und Symbol

Seite 273ff:

Gott als Sein und das endliche Sein. **– Das Sein Gottes ist das Sein – Selbst. Das Sein Gottes kann nicht verstanden werden als die Existenz eines Seienden neben oder über anderem Seiendem. Wenn Gott ein Seiendes wäre, so wäre er den Kategorien der Endlichkeit unterworfen, besonders Raum und Substanz. Selbst wenn er das „höchste Wesen" im Sinne von „vollkommenstem und mächtigstem Wesen" genannt würde, wäre diese Situation nicht anders.**

Sobald dem höchsten Wesen unendliche Macht oder unbedingte Macht und Bedeutung zugeschrieben wird, hat es aufgehört, ein Wesen zu sein, und ist das Sein – Selbst geworden.

Ein anderer Ausdruck für Sein – Selbst ist Seinsmächtigkeit. Plato wußte, daß Sein auf die Macht hindeutet, die allem Sein innewohnt, nämlich auf die Macht, dem Nichtsein Widerstand zu leisten, ein Wissen, das durch die Nominalisten (Anm.: die Begriffe haben keine metaphysische Qualität; sie resul-

tieren aus Erfahrung oder beruhen auf Übereinkunft) und ihre modernen Anhänger verloren ging.

Der Satz, daß Gott das Sein – Selbst ist, ist ein nicht-symbolischer Satz. Er weist nicht über sich selbst hinaus. Was er sagt, meint er direkt und eigentlich.

Über diese Aussage hinaus kann allerdings nichts über Gott als Gott gesagt werden, was nicht symbolisch wäre.

... Symbol und Zeichen (sind) grundsätzlich verschieden. Während das Zeichen nicht notwendig verbunden ist mit dem, worauf es hindeutet, partizipiert (teilhaben) das Symbol an der Wirklichkeit dessen, für das es Symbol ist. Ein Zeichen kann willkürlich vertauscht werden, je nach Zweckmäßigkeit, aber Symbole nicht. Ihre Gültigkeit ist abhängig von der Wechselbeziehung zwischen dem, was sie symbolisieren, und den Personen, die das Symbol aufnehmen. Darum kann das religiöse Symbol nur dann ein wahres Symbol sein, wenn es an der Mächtigkeit des Göttlichen partizipiert, auf das es hindeutet.

Es kann kein Zweifel bestehen, daß jede konkrete Aussage über Gott symbolisch sein muß; denn eine konkrete Aussage ist eine solche, die einen begrenzten Ausschnitt der endlichen Erfahrung benutzt, um etwas über Gott auszusagen. Sie geht dabei über die Grenzen dieses Ausschnitts hinaus und schließt ihn doch zugleich ein. Der Ausschnitt der

endlichen Wirklichkeit, der zum Träger einer konkreten Aussage über Gott wird, wird zugleich bejaht und verneint. Es wird zum Symbol, denn ein symbolischer Ausdruck ist ein solcher, dessen gewöhnlicher Sinn durch das, auf das er hindeutet, verneint wird. Aber er wird nicht nur verneint, sondern auch bejaht – als symbolisches Material für das Unendliche.

Nunmehr muß die entscheidende Frage gestellt werden: Kann ein Ausschnitt endlicher Wirklichkeit Grundlage werden für eine Aussage über das, was unendlich ist? Die Antwort ist: Sie kann es, weil das, was unendlich ist, das Sein – Selbst ist und weil alles Seiende am Sein – Selbst partizipiert. Die analogia entis (Ähnlichkeit bzw. Verwandtschaft aller Dinge) ist nicht die Eigenart einer fragwürdigen Theologie, die durch Schlußfolgerungen vom Endlichen auf das Unendliche Gotteserkenntnis zu gewinnen sucht. Die analogia entis gibt uns allein das Recht, überhaupt von Gott zu sprechen. Sie beruht auf der Tatsache, daß Gott als Sein – Selbst verstanden werden muß.

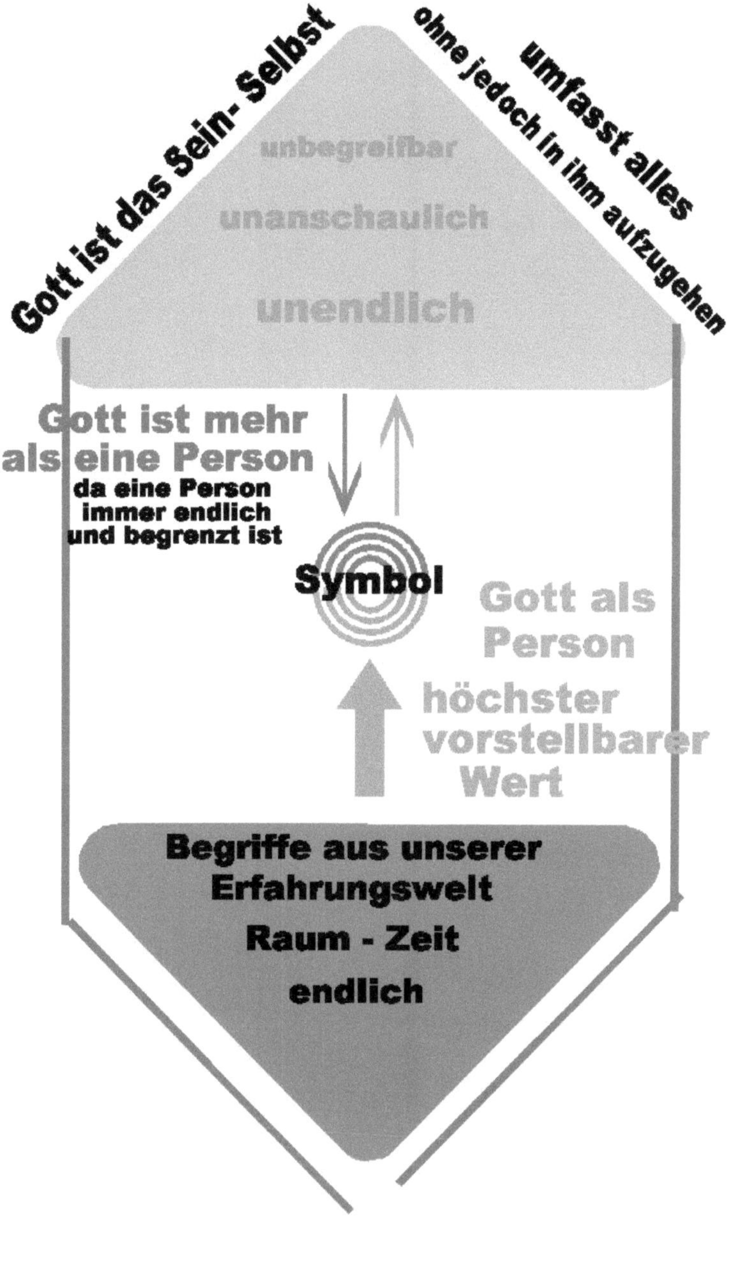
Gott ist das Sein- Selbst
umfasst alles
ohne jedoch in ihm aufzugehen
unbegreifbar
unanschaulich
unendlich
Gott ist mehr
als eine Person
da eine Person
immer endlich
und begrenzt ist
Symbol
Gott als
Person
höchster
vorstellbarer
Wert
Begriffe aus unserer
Erfahrungswelt
Raum - Zeit
endlich

Tillich
alles partizipiert
am Sein/Gott
geistig
psychisch
organisch
anorganisch
Gott ist das
Sein-Selbst
Mysterium
objektive
Vernunft
Essenz
polare
Grundstruktur
Selbst-Welt
Subjekt-Objekt
subjektive
Vernunft
Existenz
Getrenntsein vom
Seinsgrund oder
von Gott führt zur
Frage nach ihm
das Ganze ist
perspektivisch auf
das zentrierte
Selbst bezogen
Vernunft blickt in ihren
eigenen Abgrund
Offenbarung

Zur Symbollehre ähnlich Novalis; im <Heinrich von Ofterdingen> heißt es:

Alles, was er sah und hörte, schien nur neue ... Fenster ihm zu öffnen ...

Kommentierung von Safranski, Romantik, dazu: Jeder Punkt wird zum Aussichtspunkt, man blickt in unendliche Perspektiven hinaus, **es spiegelt sich überall ein Himmel, und die Dinge bekommen einen wunderbaren Goldgrund.** (S. 131, Hervorhebung d.d.A.)

Novalis:
Nichts ist zur wahren Religiosität unentbehrlicher als ein Mittelglied, das uns mit der Gottheit verbindet. Unmittelbar kann der Mensch schlechterdings nicht mit derselben in Verhältnis stehn. In der Wahl dieses Mittelglieds muß der Mensch durchaus frei sein. Der mindeste Zwang hierin schadet seiner Religion.

Nach dem Tode Gottes stehen wir stets nur vor uns selbst. Eine Referenzgrundlage ist nicht mehr vorhanden. Letzten Endes hält selbst die Vernunft nicht stand. Auch sie gerät in den Strudel von Relativität und Skeptizismus. Deshalb muss eine vernünftige Zivilreligion zwangsläufig scheitern. Was erkennbar Konstrukt ist, wenn auch ein vernünftiges, hat keineswegs den Status eines Absoluten. Von daher produziert die Moderne immer auch den Wurm, der ihre Fundamente zernagt – das ist unausbleiblich, wird i.d.R. verdrängt, bleibt unthematisiert, gleichwohl für die Kundigen "der Stachel im Fleisch". Laut Kant ist die einzige legitime Möglichkeit von Erhabenheit für den Einzelnen seine Teilhabe an der uneigennützigen, autonomen Moral (kategorischer Imperativ). Wie wenig sie leider auszurichten vermochte, dafür legen die Leichenfelder der totalitären Ideologien des 20. Jahrhunderts ein unrühmliches Zeugnis ab.

Zu <Vernunft blickt in ihren eigenen Abgrund> siehe Band I, Seite 28ff in Systematische Theologie, Paul Tillich

Tillich war im Gegensatz zu den meisten Theologen imstande, eine neue Synthese zu schmieden zwischen Glaube, Vernunft, Offenbarung und Philosophie sowie allgemein zwischen Kultur und Religion. Andere Theologen wie Karl Barth haben darin Gegensätze gesehen. Des Weiteren nimmt Tillich von den Existenzialisten die These von der Entfremdung auf. Unter den Bedingungen der Existenz ist alles zweideutig, ambivalent, von Gegensätzen geprägt. Weder gibt es reine Vernunftwahrheiten noch eine unzweideutige Offenbarung. Selbst die Gottesfrage ist der Ambivalenz unterworfen. Ebenso kann der Glaube unter den Bedingungen der Existenz sowohl heilsam und förderlich sein als auch gesellschaftlich destruktiv und die Persönlichkeit zerstörend. Aktuelle Beispiele dazu finden sich in faschistoid religiösen oder theokratischen Systemen zur Genüge, Beispiele, die Tillich wohl kaum zu seiner Zeit erahnen konnte. Unter Offenbarung versteht Tillich eine Konfrontation mit der Tiefe des Seins, die die Persönlichkeit erschüttert und verwandelt (Ergriffensein), keineswegs eine wörtliche, einseitig mitteilende Information von Gott, die man lediglich aufzunehmen bräuchte und zu glauben hätte. Ein supranaturaler Gott, der über Boten Informationen mitteilt, ist selbst schon eine Vorstellung, die Ausdruck der entfremdeten Situation des Menschen ist. Denn eine Gehorsamsleistung in Verbindung mit einem Willensakt steht im Vordergrund, nicht das Ergriffenwerden der Persönlichkeit in ihrer Tiefe. “In solchen Systemen warden geoffenbarte Wahrheiten autoritär gehütet und den Menschen als seine Art Fertigware verabreicht, die sie hinnehmen müssen. Autoritäre Systeme machen aus der Offenbarung einen Intellekts- und Willensakt; sie zerstören die existentielle Korrelation zwischen dem Offenbarungsereignis und denen, die es empfangen sollen.” (S. 173)

Unter letztgültiger Offenbarung, die nicht mehr der Zweideutigkeit unterworfen ist, versteht Tillich die "Wiedervereinigung mit dem Seinsgrund" Das Mysterium des Seins werde dann vollständig erkannt. Dies ist für ihn gleichbedeutend mit der Erlösung von der zweischneidigen Art und Weise zu existieren, eine Erlösung, die für alle Menschen gilt, nicht nur für Christen. "In seinem erfüllten Reich ist Gott alles in allem." (S. 175)

Die Vernunft ist ebenfalls den Entfremdungserscheinungen der Existenz ausgesetzt, erkennbar z.B. in der Trennung zwischen technisch-instrumenteller und einender, verstehender Vernunft. Tillich kritisiert mit Recht, dass heute (1958!) der Gebrach der Vernunft als seines (technischen) Werkzeugs im Vordergrund stehe unter der Dominanz der Naturwissenschaften. "Eine Konsequenz dieser Haltung ist der rapide Verfall des geistigen und geistlichen Lebens, die Entfremdung von der Natur und, was am gefährlichsten ist, die Behandlung des menschlichen Wesens als Ding. In Psychologie und Soziologie, in Medizin und Philosophie ist der Mensch in die Elemente, aus denen er besteht und die sein Verhalten angeblich bestimmen, aufgelöst worden. Auf diese Weise haben sich Reichtümer an empirischer Erkenntnis angesammelt, und täglich werden sie durch neue Forschungsergebnisse vermehrt. Aber bei diesem Unternehmen hat der Mensch sich selbst verloren. Das, was nur durch Partizipation und Einung erkannt werden kann, wird nicht in Betracht gezogen. Der Mensch ist tatsächlch zu dem geworden, als was ihn das beherrschende Erkennen gesehen hat, ein Ding unter Dingen, ein Rad in der alles beherrschenden Produktions- und Konsumptionsmaschine, ein entmenschlichtes Objekt der Tyrannei oder ein genormtes Objekt der Instrumente zur öffentlichen Meinungsbildung. Die Entmenschlichung im Be-reich der Erkenntnis hat tatsächlich Entmenschlichung in der Realität hervorgebracht." (S. 119f)

Definition des Glaubens nach Paul Tillich

Schreiben sie in die Kästchen, was ihnen spontan zu den Begriffen einfällt! Worin unterscheidet sich diese Definition von anderen Definitionen des Glaubens, die sie kennen?

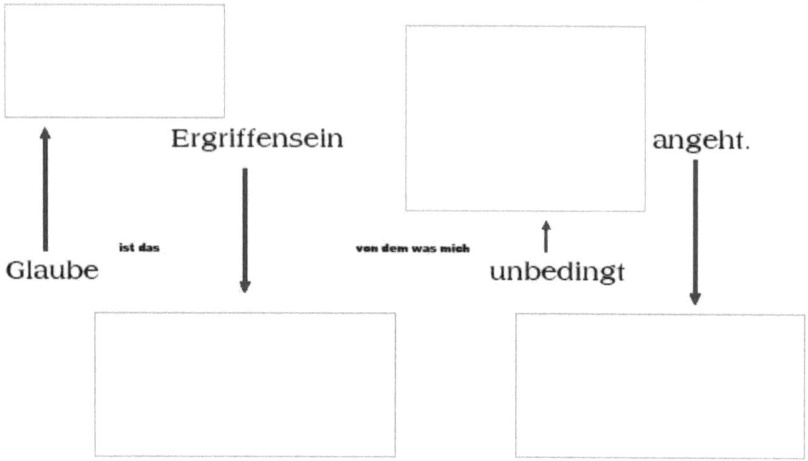

Die Betonung liegt auf <unbedingt>! Alles was bedingt ist, gehört zum innerweltlichen Gefüge und kann bzw. darf nur symbolischen Charakter haben. Nur Gott selbst kann laut Tillich unbedingt sein, da er kein definierbares <Ding> darstellt, also dem Bedingungsgefüge enthoben ist oder selbiges ermöglicht, im Sein erhält etc. Werden innerweltliche Begriffe, Ziele, Ideologien in den Rang von letztgültigen Werten und Anliegen erhoben, so entsteht ein gefährlicher Götzendienst. Der Nationalsozialismus beispielsweise kam wie eine perfekte Religion daher, indem Bedingtes wie Rasse, Blut und Boden unhinterfragbaren allerhöchsten Rang einnahmen und den Juden die Rolle des Widergöttlichen und Bösen zugedacht war. (siehe Kapitel 40: Zwölf Jahre perfekte Religion bis in den Untergang)

Auf der nachfolgenden Seite eine grafische Darstellung zur prozessualen Auffassung von Wahrheit. Wahrheit lässt sich weder statisch noch eindimensional fassen. Sie ist multiperspektivisch und vereint nicht nur die jeweiligen Erkenntnisse in den Natur- und Geisteswissenschaften, sondern auch die existenziellen Wahrheiten eines jeden gelebten Lebens. In der Trilogie kommt dieser Ansatz unter anderem in der treffenden Formulierung von Hans Jonas zum Ausdruck, die Biografien der Individuen sind "Züge im Antlitz des (werdenden) Gottes"
Siehe Kapitel 45: Alles im Prozess oder: Oder das All des Prozesses

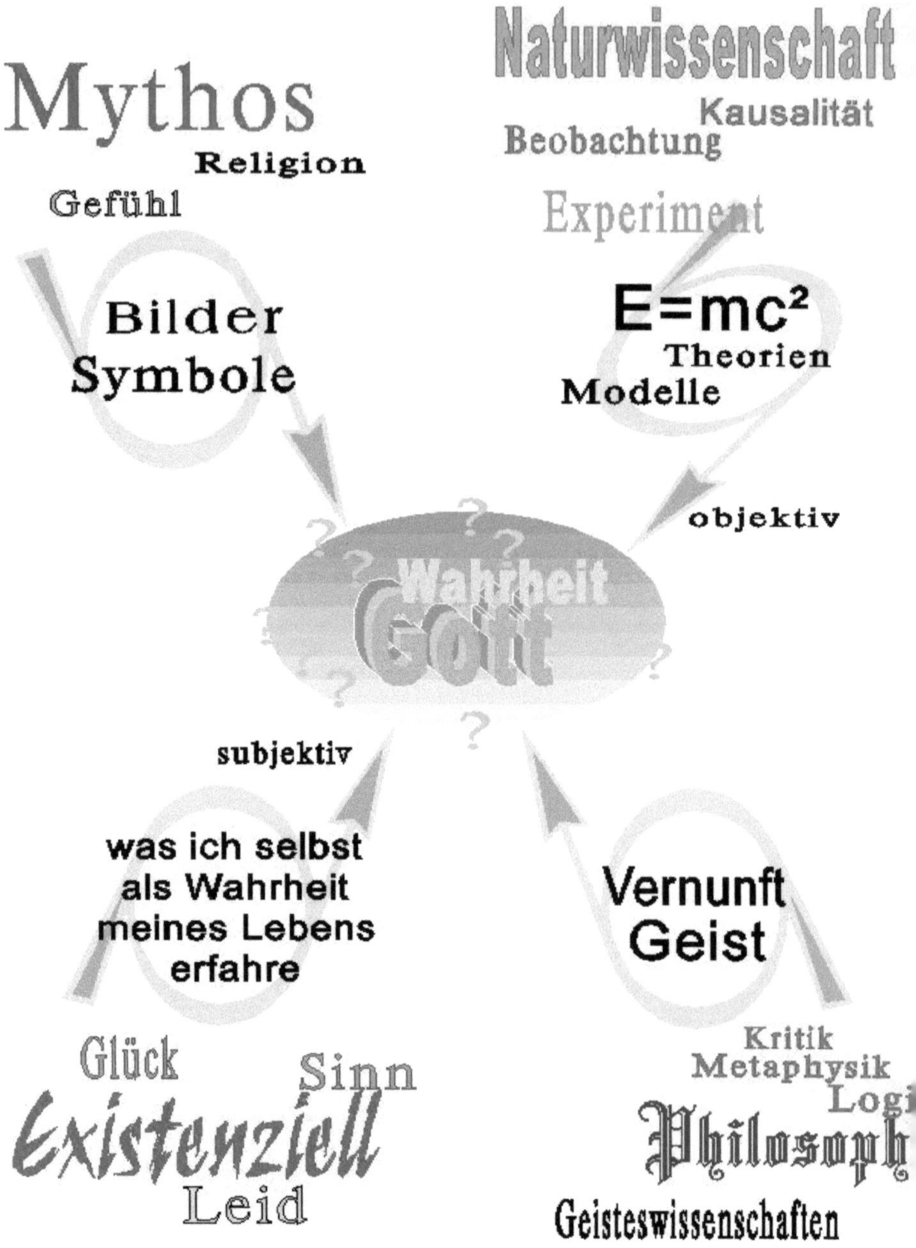
Mythos
Religion
Gefühl
Bilder
Symbole
Naturwissenschaft
Kausalität
Beobachtung
Experiment
E=mc²
Theorien
Modelle
objektiv
Wahrheit
Gott
subjektiv
was ich selbst
als Wahrheit
meines Lebens
erfahre
Vernunft
Geist
Glück
Sinn
Existenziell
Leid
Kritik
Metaphysik
Logi
Philosoph
Geisteswissenschaften

Melite erwähnt oft in ihrer Darlegung der Hominisation ihren Lehrer Helmuth Plessner. Auf der folgenden Seite ist eine grafische Darstellung des Denkansatzes von Plessner aufgeführt. Ein Tier (Ameise) lebt im Naturhang und ist determiniert durch sein instinktives Verhaltensprogramm. Die Ameise weiß also nicht, dass sie Mitglied eines großen Staates ist und nur untergeordnete (Sklaven)arbeit verrichtet. Sie ist das Zentrum ihrer Umwelt, mit der sie chemische Signale austauscht. Hingegen **hat** der Mensch eine Umwelt, deren Grenzen er zu transzendieren vermag. Zu wissen, dass man weiß, hat zur Folge, dass man aus dem Zentrum hinaus katapultiert wird. Seitdem (muss) das Bewusstseins-Säugetier <Mensch> sich von außen sehen mit allen Irritationen, Verfehlungen und Problemen, die diese seltsame exzentrische Positionalität mit sich bringt bis hin zum Freitod, der Kapitulation des sich in Freiheit selbst erschaffenden Individuums, aber auch mit den Chancen und Möglichkeiten, z.B. der gelin-genden sittlichen Selbstvervollkommnung einer Persönlichkeit. Melite überträgt diese These auf die Phylogenese der Menschheitsentwicklung. Der Existenzialismus erfasst diese Lage des Menschen als dreifache Entfremdung, von seiner Herkunft, der Natur und dem animalischen Bereich, von sich selbst und seiner Leiblichkeit sowie von den Mitmenschen.

Dem entspricht auf der nächsten Seite die Philosophie Sartres: der Mensch ist zur Freiheit verurteilt. Sie konstituiert seine spezifische Angst, sich jederzeit anders zu sehen und neu zu erschaffen. Das den Einzelnen umgebende Nichts bedingt seine absolute Freiheit. Keine Wesensbestimmung von <außen>, keine übernatürliche Vorschrift, weder Gott noch Gesellschaft vermag ihn zu determinieren, selbst ein Vorsatz, den er vor fünf Minuten gefasst hat, kann im nächsten Augenblick wieder verworfen werden.

Des Theologen Rudolf Bultmann Antwort auf das Freiheitsproblem des Einzelnen besteht in der Rückbindung an Gott, der ihn von sich selbst befreit und damit den Fluch, sich stets in Freiheit selbst entwerfen zu müssen, auf sich nimmt. Die Freiheit ist nämlich nur eine Scheinfreiheit. Die Angst treibt ihn zu immer stärkeren Sicherungsbemühungen.

Freiheit

Sartre: **Der Mensch ist wesensmäßig Freiheit. Er muß sie nicht erst erwerben. Hauptwerk: Das Sein und das Nichts**

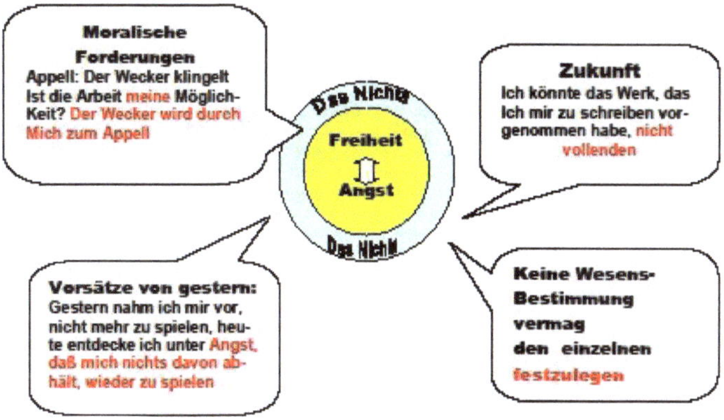

Der Mensch entwirft sich in jedem Augenblick neu

Problem: Leugnung der Freiheit u.a. durch Gott

Rudolf Bultmann **Theologe, Schüler von Martin Heidegger**

(Existenzphilosoph)

Programm: existentiale Interpretation des biblischen Mythos

In der radikalen Hingabe an Gott, die alles von Gott, nichts von sich erwartet, wird der Mensch frei von sich selbst und erlangt damit erst seine eigentliche Freiheit

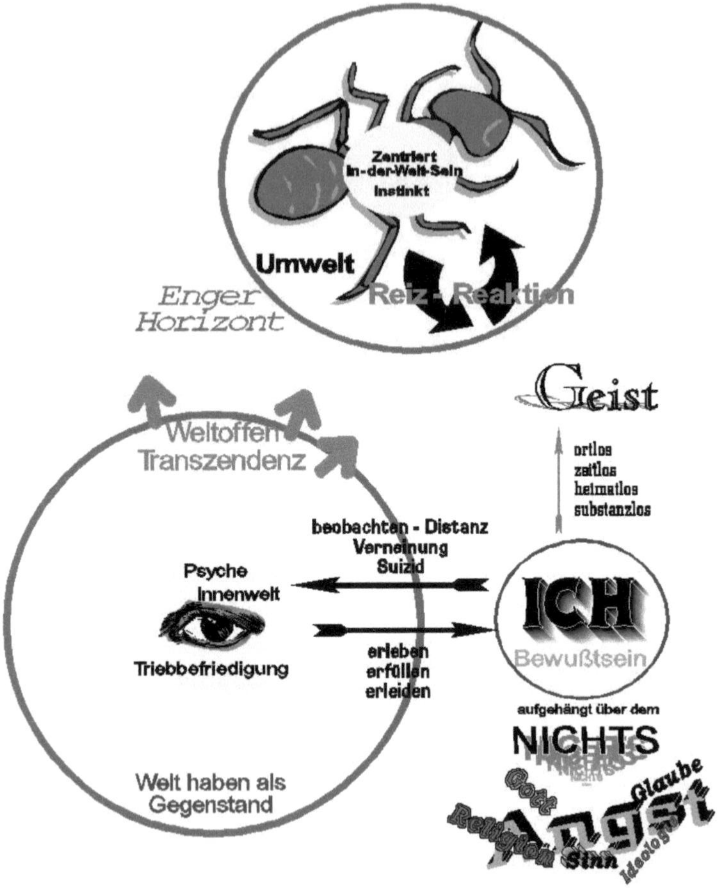
Zentriert
In-der-Welt-Sein
Instinkt
Umwelt
Reiz - Reaktion
Enger
Horizont
Geist
ortlos
zeitlos
heimatlos
substanzlos
Weltoffen
Transzendenz
beobachten - Distanz
Verneinung
Suizid
Psyche
Innenwelt
Triebbefriedigung
erleben
erfüllen
erleiden
ICH
Bewußtsein
aufgehängt über dem
NICHTS
Gott
Glaube
Religion
Angst
Sinn
Ideologie
Welt haben als
Gegenstand

Es folgen einige Grafiken zum Anthropischen Prinzip bzw. zum Finetuning sowie zum Verhältnis Geist-Materie. Das AP hat keinen Beweischarakter, aber es gibt Anlass, sich zu wundern.

Der Trilogie liegt die These zugrunde, dass Plan, Intelligenz, Wille oder ein bewusster Schöpfungsakt das Universum hervorgebracht und seine Geschichte in Gang gesetzt haben und dass die Entstehung von Beobachtern alles andere als Zufall ist.

Shermans letztes Gesetz verbietet grundsätzlich, zwischen hochintelligenten Zivilisationen aus einem Mutteruniversum und dem Schöpfergott zu unterscheiden. Solche (übernatürlichen) Wesen, die den Urknall generiert haben, sind nicht von einer Gottheit zu unterscheiden.
Sollte diese Ansicht im Prinzip wahr sein, so wäre auch unser Dasein intentional, d.h. von ihren Absichten und Zielen bestimmt. Wir gelangen auf diese Weise wieder zu klassisch religiösen Auffassungen und Aussagen. Failed Species bezieht sich auch auf eine Menschheit, die ihre höhere Bestimmung völlig aus den Augen verloren hat, ja gar nicht mehr danach fragt; möglicherweise auch deshalb nicht, weil es viel bequemer ist, sich als Zufallsprodukt einer Laune der Natur anzusehen. Warum sollte man für

den Planeten Erde, für Kreatur, Umwelt und künftige Generationen Sorge tragen, wenn man doch bald als Spezies wieder verschwinden muss? Eben als eine <Failed Species>, mit der die Natur nur belanglos und ohne Ziel herumexperimentiert hat.

Andererseits könnte eine Erneuerung von Glaube und Religion diesmal von der Naturwissenschaft unterstützt werden, denn die Daten, die zur Erkenntnis des Anthropischen Prinzips geführt haben, sind Fakten und keine Glaubensgegenstände. Die Chance würde sich ergeben, unter aufgeklärt neuzeitlichen Bedingungen nach unserer Bestimmung zu suchen und das Sein bzw. Bewusstsein im Bestand zu erhalten. Dies wäre eine große Herausforderung und Aufgabe für die Menschheit, ein <common cause>, der die Menschheit zusammenschweißen würde und alle Religionen und Wissenschaften gleichrangig einbinden würde in die Suche nach Sinn und Bedeutung.

Folie AP 4

Die Tatsache, dass sich in unserem Universum, welches sich quasi noch im Jugendstadium befindet, bereits Leben gebildet hat, das sogar in Beobachtern des Universums gipfelt, gibt allerdings reichlich Anlass zum ...

sich-Wundern

Warum? Wir dürfen nun keine beliebig großen Zahlen mehr einsetzen, um das Zufällige zu erklären.

Die Evolutionstheorie basiert auf drei Säulen:		
	Beschreibung	Problemanzeige
Mutation	Zufällige Veränderungen in der Abfolge der DNA Sequenzen	Kann das Niedere (materielle) das Höhere (Geistige) begründen?
Selektion	Aussortieren der Nieten, Förderung derjenigen Individuen einer Spezies, deren DNA ihnen zu einer besseren Anpassung und damit zu einer höheren Reproduktionsrate verhilft	Die Selektion verläuft der Theorie zu Folge eben so wenig zielgerichtet wie die Mutation; kann damit allein die Höherentwicklung bis zu einem so komplexen Organ wie dem Gehirn erklärt werden?
Unermesslich großer Zeitraum	Bereits vor 3,5 Mrd Jahren existierten Cyanobakterien auf der Erde (Photosynthese)	Für die zufällige Entstehung bleibt mit einigen 100 Mill. Jahren seit dem Erkalten der Erde zu wenig Zeit

Klaus Windhöfel

Zur Grafik auf S. 118: Auffällig ist die ungeheure Differenzierung u. Individuierung bzw. die Gestaltenfülle in unserem Kosmos infolge unzähliger emergenter Übergänge (Emergenz: eine neue Eigenschaft entsteht, die nicht aus der Summe ihrer konstituierenden Elemente erklärt werden kann; z.B. die Verkopplung von 100 Mrd. Neuronen hat mit ihrem Ergebnis, Geist und Bewusstsein, eigentlich nichts zu tun)

Zur Grafik auf S. 119 u. 120:
die Hegelsche Idee von Gottes Geist, der sich im Menschengeist denkt und zu seinem Bewusstsein kommt;
Physiker wie H.P. Dürr, Ditfurth u.a. gehen davon aus, dass bereits der Untergrund der Materie von geistiger Natur ist; insofern könnte e seine Metarealität geben, deren komplementäre Seiten einmal als Materie und spiegelbildlich als Geist sich manifestieren

Zur Struktur unseres Universums

In einem ewigen und unbegrenzten Universum ohne Anfang und Ende wäre auch das Unwahrscheinlichste möglich wie z.B. die Evolution von intelligenten Beobachtern

Jeder hätte x Doppelgänger, denn auch der winzigste evolutive Zufall würde sich in unendlicher Zeit in der unendlichen Weite des Kosmos unendlich oft wiederholen.

Anlass zum Wundern über die Evolution des Lebens in einem solchen Universum gäbe es freilich nicht.

... eher ein entsetzliches Erschrecken!!

Denn: Nachdem ich gestorben bin, werden sich die unwahrscheinlichen physikalischen Abläufe, die meine Existenz hervorgerufen haben, irgendwann irgendwo im Kosmos wiederholen. Egal ob diese zufällige Sequenz physikalischer Zustände sich bereits in 100 oder erst in 10^{120} Jahren wiederholen wird.

Nichts ist unmöglich für die Unendlichkeit

Heute kehrt die Unendlichkeit zurück durch das Postulat unendlich vieler Parallelwelten; in diesem Falle ist das Finetuning unseres Universums und die Tatsache von Geist, Bewusstsein und Individualität nichts besonderes mehr!

Folie AP 3

Wir leben in einem sterbenden Universum

Zwischen seiner Geburt

Klaus Windhöfel

Folie AP 6

> Das Unbegreiflichste am Universum ist, dass es begreifbar ist.
> Einstein

Hinter seiner einfachen Oberfläche...

Entwicklung in der Zeit beschreibbar in einfachen Gleichungen

$E=mc^2$

$K=G \times Mm/r^2$

Voraussetzung: Symmetrie, Regelmäßigkeit, Stabilität der Materie, Naturkonstanten

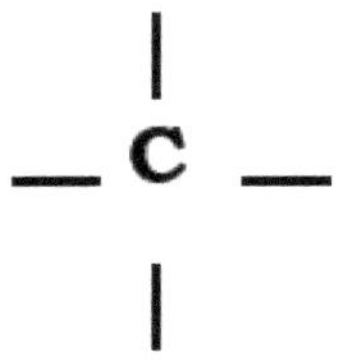

Das Kohlenstoffatom zB. ist zwar einfach in seinem Aufbau zu beschreiben...

...öffnet sich logische Tiefe (Paul Davies)

...aber fähig komplexe Kettenmoleküle zu bilden als Voraussetzung allen uns bekannten Lebens.

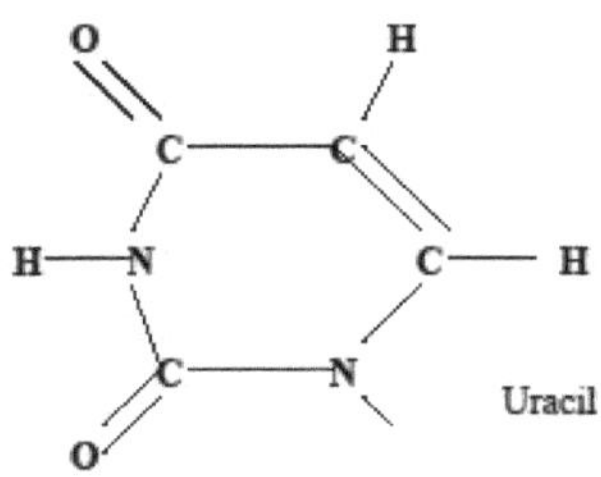

Uracil

* **Unberechenbarkeit**
* **offene Systeme**
* **Fraktale**
* **Vielfalt,**

Klaus Windhöfel

Zur Grafik auf S. 129: Der Mythos vom werdenden und leidenden Gott taucht bei Hans Jonas schon 1963 auf in dem Aufsatz „Unsterblichkeit und heutige Existenz"; entfaltet wird er auch in „Der Gottesbegriff nach Auschwitz" als Antwort auf die Theodizee-Frage. „Im Anfang, aus unerkennbarer Wahl, entschied der göttliche Grund des Seins, sich dem Zufall, dem Wagnis und der endlosen Mannigfaltigkeit des Werdens anheimzugeben. Und zwar gänzlich: Da sie einging in das Abenteuer aus Raum und Zeit, hielt die Gottheit nichts von sich zurück; kein unergriffener und immuner Teil von ihr blieb, um die umwegige Ausformung ihres Schicksals in der Schöpfung von jenseits her zu lenken, zu berichtigen und letztlich zu garantieren. **Auf dieser bedingungslosen Immanenz besteht der moderne Geist. Es ist sein Mut oder seine Verzweiflung, in jedem Fall seine bittere Ehrlichkeit, unser In-der-Welt-Sein ernst zu nehmen: die Welt als sich selbst überlassen zu sehen, ihre Gesetze als keine Einmischung duldend, und die Strenge unserer Zugehörigkeit als durch keine außerweltliche Vorsehung gemildert.** Dasselbe fordert unser Mythus für Gottes In-der-Welt-Sein. Nicht aber im Sinne pantheistischer Immanenz: wenn Gott und Welt einfach identisch sind, dann stellt die Welt in jedem Augenblick und jedem Zustand seine Fülle dar, und Gott kann weder verlieren noch auch gewinnen. Vielmehr, damit Welt sei, und für sich selbst sei, entsagte Gott seinem eigenen Sein; er entkleidete sich seiner Gottheit, um sie zurückzuempfangen aus der Odyssee der Zeit, beladen mit der Zufallsernte unvorhersehbarer zeitlicher Erfahrung, verklärt oder vielleicht auch entstellt durch sie. In solcher Selbstpreisgabe göttlicher Integrität um des vorbehaltlosen Werdens willen kann kein anderes Vorwissen zugestanden werden als das um die *Möglichkeiten,* die kosmisches Sein durch seine eigenen Bedingungen gewährt: eben diesen Bedingungen lieferte Gott seine Sache aus, da er sich entäußerte zugunsten der Welt. Und für Äonen ist sie sicher in den langsam arbeitenden Händen kosmischen Zufalls und der Wahrscheinlichkeiten seines Mengenspiels – während immerfort, so dürfen wir vermuten, ein geduldiges Gedächtnis vom Kreisen der Materie sich ansammelt und zu der ahnenden Erwartung anwächst, mit der das Ewige die Werke der Zeit zunehmend begleitet – ein zögerndes Auftauchen der Transzendenz aus der Undurchsichtigkeit der Immanenz. Und dann die erste Regung von *Leben* – eine neue Sprache der Welt: und mit ihm eine enorme Steigerung des Interesses im ewigen Bereich und ein plötzlicher Sprung im Wachstum zum Wiedererwerb seiner Fülle. Es ist der Weltzufall, auf den die werdende Gottheit wartete und mit dem ihr verschwenderischer Einsatz zuerst Zeichen seiner schließlichen Einlösung zeigt. Aus der unendlich schwellenden Dünung von Fühlen, Wahrnehmen, Streben und Handeln, die immer mannigfacher und intensiver über den stummen Wirbeln der Materie sich hebt, gewinnt die Ewigkeit Kraft, füllt sich mit Inhalt um Inhalt von Selbstbejahung, und zum erstenmal kann der erwachende Gott sagen, die Schöpfung sei gut. Aber man beachte, dass mit dem Leben zusammen der Tod kam, und dass Sterblichkeit der Preis ist, den die neue Möglichkeit des Seins für sich zu zahlen hatte. Wenn ständige Dauer das Ziel wäre, hätte Leben gar nicht erst beginnen dürfen, denn in keiner möglichen Form kann es sich mit der Dauerhaftigkeit inorganischer Körper messen. Es ist wesentlich widerrufliches und zerstörbares Sein, **ein Abenteuer der Sterblichkeit**, das vom langwährenden Stoff auf dessen Bedingungen – auf die kurzfristigen Bedingungen des stoffwechselnden Organismus – die endlichen Laufbahnen individueller Selbste zum Darlehen erlangt. **Aber eben im kurz behaupteten Selbst – Fühlen, Handeln und Leiden endlicher Individuen, das vom Druck der Endlichkeit erst die ganze Dringlichkeit und damit Frische des Empfindens bezieht, entfaltet die göttliche Landschaft ihr Farbenspiel und kommt die Gottheit zur Erfahrung ihrer selbst.** Ist somit der Tod die Grundbedingung jener gesonderten Selbstheit, die durch die ganze organische Natur hindurch eben im Selbsterhaltungstrieb kundgibt, welch hohen Preis sie auf sich selber setzt, **und ist der Ertrag dieser Sterblichkeit die Nahrung der Ewigkeit** und dies der Sinn des ganzen Paradoxes, dann ist es unvernünftig, für ihre bestallten Vollstrecker, die selbstbejahenden Selbste, Unsterblichkeit zu verlangen. Der Selbsterhaltungstrieb in der Tat erkennt dies an, denn er impliziert die Voraussetzung des Verlöschens in seiner Anstrengung, es jedesmal noch für dieses Mal abzuwenden. Man bemerke ebenfalls, dass in der Unschuld des Lebens vor dem Erscheinen des Wissens die Sache Gottes nicht fehlgehen kann. **Jeder Artunterschied, den die Evolution hervorbringt, fügt den Möglichkeiten von Fühlen und Tun die eigene hinzu und bereichert damit die Selbsterfahrung des göttlichen Grundes.** Jede in ihrem Lauf neu sich auftuende Dimension der Weltbeantwortung **bedeutet eine neue Modalität für Gott, sein verborgenes Wesen zu erproben und durch die Überraschungen des Weltabenteuers sich selbst zu entdecken.** Und all die Ernte ihrer bedrängten Werdemühe, ob hell oder dunkel, **schwellt den jenseitigen Schatz zeitlich gelebter Ewigkeit.** Gilt dies schon für das sich verbreiternde Spektrum der Mannigfaltigkeit an sich, um wieviel mehr für die sich steigernde Wachheit und Leidenschaft des Lebens, die mit dem Zwillingswachstum von Wahrnehmung und Bewegung im Tierreich einhergeht. Die immer größere Schärfung von Trieb und Angst, Lust und Schmerz, Triumph und Entbehrung, Liebe und selbst Grausamkeit – das Durchdringende ihrer Intensität an sich, allen Erfahrens überhaupt, ist ein Gewinn des göttlichen Subjekts, **und ihr zahllos wiederholtes, doch nie sich abstumpfendes Durchleben (schon darum die Notwendigkeit von Tod und neuer Geburt!) liefert die geläuterte Essenz, aus der die Gottheit sich neu erbaut.** Alles dies stellt die Evolution zur Verfügung durch die bloße Üppigkeit ihres Spiels und die Strenge ihres Sporns. Ihre Geschöpfe, indem sie nur ihrem Trieb gemäß sich selbst erfüllen, rechtfertigen das göttliche Wagnis. Selbst ihr Leiden vertieft noch die Tonfülle der Symphonie. **So kann denn, diesseits von Gut und Böse, Gott im großen Glückspiel der Entwicklung nicht verlieren.** Ebensowenig aber kann er im Schutze ihrer Unschuld wahrhaft gewinnen, und eine neue Erwartung wächst in ihm in Antwort auf die Richtung, die die bewusstlose Bewegung der Immanenz allmählich nimmt. Und dann zittert er, da der Stoß der Entwicklung, von seiner eigenen Schwungkraft getragen, die Schwelle überschreitet, wo Unschuld aufhört und ein gänzlich neues Kriterium des Erfolgs und Fehlschlags vom göttlichen Einsatz Besitz ergreift. Die Heraufkunft des Menschen bedeutet die Heraufkunft von Wissen und Freiheit, und mit dieser höchst zweischneidigen Gabe weicht die Unschuld des bloßen Subjekts sich selbst erfüllenden Lebens der Aufgabe der Verantwortung unter der Disjunktion von Gut und Böse. Der Chance und Gefahr dieser Vollzugsdimension ist die nun erst offenbar gewordene göttliche Sache hinfort anvertraut, und ihr Ausgang schwankt in der Waage. Das Bild Gottes, stockend begonnen vom physischen All, solange in Arbeit – und unentschieden gelassen – in den weiten und dann sich verengernden Spiralen vormenschlichen Lebens, geht mit dieser letzten Wendung, und mit dramatischer Beschleunigung der Bewegung, in die fragwürdige Verwahrung des Menschen über, um erfüllt, gerettet, oder verdorben zu werden durch das, was er mit sich und der Welt tut. Und in diesem furchterregendem Auftreffen seiner Taten auf das göttliche Geschick, ihrer Wirkung auf den ganzen Zustand des ewigen Seins, besteht die menschlichte Unsterblichkeit. **Mit dem Erscheinen des Menschen erwachte die Transzendenz zu sich selbst und begleitet hinfort sein Tun mit angehaltenem Atem, hoffend und werbend, mit Freude und mit Trauer, mit Befriedigung und Enttäuschung – und, wie ich glauben möchte, sich ihm fühlbar machend, ohne doch in die Dynamik des weltlichen Schauplatzes einzugreifen: denn könnte es nicht sein, dass das Transzendente durch den Widerschein seines Zustandes, wie er flackert mit der schwankenden Bilanz menschlichen Tuns, Licht und Schatten über die menschliche Landschaft wirft?"**

So weit dieser Mythos von Hans Jonas, dessen Augenmerk zweifellos auf dem menschlichen Verhalten, auf des Einzelnen ethische Antwort auf das vorwiegend als Aufgabe verstandene Leben liegt. Vokabeln, mit denen der Genuss und die Freude der Existenz beschrieben werden, sucht man vermutlich wegen der einseitigen Betonung der Ethik vergeblich. Sie spielen aber eine Rolle in der Prozesstheologie, somit im weltlichen Erleben Gottes.

Man muss ja fragen, welchen Wert und welche Bedeutung das Einzelwesen über seine Funktion für die werdende Gottheit hinaus für sich selber, für die eigene Biografie, für die Selbsterschaffung in endlicher Freiheit besitzt. Die Stärke des Mythos liegt in seiner erklärenden Kraft eines Zusammengehens von Göttlichem und Menschlichem, was eigentlich nicht kausal, unsymbolisch erklärt werden kann. Der Mythos lässt aber Raum für diese Erklärung. Auch wenn es nicht expressis verbis zum Ausdruck kommt, unterschwellig findet sich die Vorstellung von der Wiedergeburt des Individuums – allerdings ohne Verweis auf irgendetwas Beständigem zwischen den Inkarnationen. Was sich hier inkarniert, ist allein das Göttliche: „ … **und ihr (der Göttlichkeit) zahllos wiederholtes, doch nie sich abstumpfendes Durchleben (schon darum die Notwendigkeit von Tod und neuer Geburt!) liefert die geläuterte Essenz, aus der die Gottheit sich neu erbaut.“** Die werdende Gottheit ist also vollständig in uns; wir sind ganz sie selbst; sie ist ganz „ich“, ohne zunächst erkennbare Differenz, ohne Außenstellung, ohne Vorbehalt, nicht nur im Geiste wie bei Hegel, entwirft sie sich immer wieder neu in den einzelnen Individuen. Wie wir im Mythos gesehen haben, auch schon unterhalb des Menschen in der Vielfalt kreatürlichen Lebens. Insofern ist die Unio Mystica bereits mit der Erschaffung des Einzelwesens vollzogen und zwar von Seiten Gottes! Diese Vorstellung deckt sich mit der Forderung an ein modernes Gottesverständnis, dass alle Vorstellungen der klassischen Theologie von Gott als eines von außerhalb des Kosmos denselben beobachtenden und regierenden über- und außernatürlichen Wesens revidiert werden und durch Vorstellungen ersetzt werden sollten, die das Göttliche im Inneren seiner eigenen Schöpfung lokalisieren. Gott besitzt keine anderen Sinnesorgane als die unseren bzw. die in der Evolution entstandenen, die auch die der Tiere mit einschließt, mit denen er von innen seine Werke betrachtet. Und er geht den Weg mit uns. Unser Erwachen für die kunstvolle Schöpfung, für allerlei Schönheit der Natur ist *sein* Erwachen, unsere Motivation und Freude, die Welt naturwissenschaftlich zu erkunden, ist *seine* Motivation und Entdeckerfreude. Unser Streben und Hoffen, jedoch auch unsere Angst, unser Versagen, unsere Entscheidungen und Fehlentscheidungen, werden nicht nur begleitet von ihm, sondern auch getragen, miterlebt, erlitten, weil er ganz wir selbst ist als wiederholter Versuch und Entwurf endlicher Existenz. Die Außenstellung im ersten Schöpfungsbericht der Bibel wird nun ganz nach innen genommen: „ … und zum erstenmal kann der erwachende Gott sagen, die Schöpfung sei gut.“ Durchdenken wir das konsequent und sind wir alle nichts anderes als Elemente im Corpus dei, dann waren wir auch selbst beim Schöpfungsakt zugegen und können nun von innen heraus sagen, dass alles wohlgeraten sei. Wir könnten nichts anders gewollt haben in jenem Schöpfungsakt in Kooperation mit Gott dem Schöpfer, als eben diese Feinabstimmung vorzunehmen, die in weitester Ferne einmal zu Leben und Denken, zu unseren persönlichen Existenzen führen wird. Wir sollten eine Anleihe nehmen an der hinduistischen Vorstellung vom Atman, die besser als in den Buchreligionen das Kontinuum gelebter Existenzen symbolisiert als das Bleibende, gewissermaßen die Form, die über den vielen Wiedergeburten als das Göttliche erkannt wird. ἀναμιμνήσκω (Anamimnäsko) hat Platon das Erkennen genannt, Wiedererinnern dessen, was unser Geist bereits von Anbeginn der Schöpfung an weiß und gesehen hat. Demzufolge waren wir also dabei oder zumindest ein Teil von uns. Der Mythos liefert ja auch eine Begründung für die Notwendigkeit des Sterbens. Gott will die Welt immer wieder mit anderen Augen sehen, um die Mannigfaltigkeit seiner Schöpfung durch die Vielfalt unterschiedlicher Standpunkte und Interpretationen der uns umgebenden Wirklichkeiten zu ergänzen, wie sie eben nur in den begrenzten und beschränkten, perspektivischen Sichtweisen empfindender und denkender Wesen auftreten können. Es geht also nicht um einen Missbrauch oder um eine Vergewaltigung menschlicher Existenzen durch das Göttliche, um eine Art innerer Besessenheit durch ein heteronomes Element, welches von einer Überwelt aus sich anschickt, unsere Eigen- und Innenwelten zu okkupieren und uns damit zu zerstören. Damit es hier nicht zu Erfahrungen fremden Einflusses oder desintegrierenden Spaltungen kommt, muss das Postulat erlaubt sein – auch wenn es für Angehörige der Buchreligionen anstößig klingt -, dass wir selbst göttlich sind ohne Differenz, insofern wir göttliche Entwürfe, Zustände, Gestaltungen sind, auf Zeit, in der Zeit, in der Spannung zwischen Geburt und Tod. Uns ist bewusst, dass wir hier den symbolischen Rahmen des Mythos verlassen haben und zum eigentlichen Sprachgebrauch zurückgekehrt sind. Wir halten das für eine notwendige Konsequenz des Hypothesencharakters eines neu zu formulierenden Gottesbegriffs. Was sich innerweltlich gemäß ihren Gesetzen ereignet und vollzieht – und der Mythos nimmt das Göttliche ja ausdrücklich in die Welt mit hinein – muss auch innerweltlich, philosophisch – kritisch, methodisch korrekt korrigierbar und überprüfbar sein. Die Probe aufs Exempel besteht naturgemäß in der Frage, was denn durch die Annahme der Göttlichkeit der eigenen Existenz nun Neues ins Sein beziehungsweise ins Bewusstsein, der Interpretation dessen, was wir im Sein vorfinden, für dieselbe Existenz hinzugekommen ist. Worin liegt die Bereicherung einer solchen Annahme für die individuelle Existenz? Was geht jemandem verloren, der sich einem atheistischen Standpunkt anschließt? Diese Denk- und Herangehensweise ist die einzig noch mögliche für jemanden, der die Vorstellung eines jenseitigen belohnenden und bestrafenden Gottes aufgegeben hat und der radikal den Himmel entvölkert sieht. Er kann mit dem Kinderglauben nach Art des individuellen Fortlebens in einem Jenseits nichts mehr anfangen und muss infolge dessen auch die Frage nach dem Nutzen und nach der Belohung, die sehr menschlich ist und auch den Gläubigen immer berührt hat, neu und anders, gewiss auch ungewohnt beantworten. Wenn Hans Jonas von der **„ … Ernte ihrer (der göttlichen) bedrängten Werdemühe, ob hell oder dunkel …“** spricht, das **„ … den jenseitigen Schatz zeitlich gelebter Ewigkeit (schwellt).“** – dann ist damit alles gesagt, was der Einzelne von der Ewigkeit zu erwarten hat: keine Unsterblichkeit, statt des egoistischen und kleinmütigen Wunsches nach ewiger Dauer einer kleinen, fehlerhaften, unvollkommenen, zufälligen und unbedeutenden Existenz die Essenz des gelebten Lebens, sein Ertrag, seine moralische Qualität, seine Leistung, seine Einmaligkeit, die aufgehoben ist in ein überindividuelles ewiges Sein und Selbst. Das „Selbst“ klingt in diesem Kontext keineswegs befremdlich, hat doch der werdende Gott seine Gottheit erst noch vor sich, bedarf er doch der **„ … Zufallsernte unvorhersehbarer zeitlicher Erfahrung, verklärt oder vielleicht auch entstellt durch sie …“**, damit er wachse und lerne, sich zu korrigieren, all die unzähligen Existenzen in seinem ewigen Werden und Sein anzuschauen und fortdauernd aus den Essenzen gelebter Existenzen zu bauen, sich zu bereichern und sein Selbst dadurch zu konstituieren. Im „Der Gottesbegriff nach Auschwitz“ geht Hans Jonas über die weiter oben erwähnte Vorstellung vom Zimzum noch hinaus, indem er sie radikalisiert: „Die Zusammenziehung ist total, als Ganzes hat das Unendliche, seiner Macht

nach, sich ins Endliche entäußert und ihm damit überantwortet. Lässt das noch etwas übrig für ein Gottesverhältnis? ... Verzichtend auf seine eigene Unverletzlichkeit erlaubte der ewige Grund der Welt zu sein. Dieser Selbstverneinung schuldet alle Kreatur ihr Dasein und hat mit ihm empfangen, was es von Jenseits zu empfangen gab. **Nachdem er sich ganz in die werdende Welt hineingab, hat Gott nichts mehr zu geben: Jetzt ist es am Menschen, ihm zu geben.“**
„Im Genuss der Selbstheit, den er (der Mensch) immer neu bejaht, hat er die Bedingungen anerkannt, unter denen sie (die Sterblichkeit) dargeboten wird, ja, unter denen allein sie möglich ist; und anstatt ihren Besitz als Rechtstitel für <Mehr davon> anzusehen, **schuldet er vielmehr Dank für die Gewährung der Existenz als solcher – und für das, was sie möglich machte.** Denn es gibt *keine Notwendigkeit, dass überhaupt eine Welt sei.* Warum Etwas ist anstatt Nichts – diese unbeantwortbare Frage der Metaphysik sollte davor schützen, Dasein schlechthin als Axiom zu unterstellen und dann seine Endlichkeit als angefallenen Makel oder als Kürzung seines Rechts. Vielmehr ist die Tatsache von Dasein überhaupt das Mysterium der Mysterien – das unser Mythus im Symbol zu spiegeln versuchte.“ Im Geschenk der Existenz, in der Gnade des Daseins, in der Freude am Leben und in der Hoffnung, was im Sterben geglaubt werden kann mit redlichem Gewissen, liegt alles, was Gott uns geben konnte. Damit fällt jede Differenz in Form von Erbsünde, mangelhafter Gebotserfüllung, permanenter Sündenbedrückung in sich als haltlos zusammen. Warum sollten Lebensgenuss und sinnliche Freuden dann noch von Gott trennen, wie man es so oft in strengen Formen der Religiosität geglaubt hat? Bibel, Thora, Koran können keine Antworten geben auf ethische Fragen zur Umweltproblematik, zur Gentechnik. Der Mensch ist mündig geworden; die werdende, lernende Gottheit traut uns nicht nur zu, eigene Gebote, moralische Maximen zu ersinnen, die die Zukunft sichern, Leid mindern und alles Leben auf einen möglichst hohen Stand bringen, darüber hinaus geht sie ja mit uns, in uns, über uns hinaus in den Systemen genau denselben Lernweg. Das eingegangene Risiko Gottes, der auf sein Sein verzichtete, beinhaltet ein mögliches Scheitern des „Experiments“ Menschheit. Das macht ja gerade die Ethik brisant. An

dieser Stelle wird unser Auftrag und die schwere Verantwortung spürbar, die Gott auf unsere Schultern gelegt hat. Da findet sich keine Instanz mehr, an die wir appellieren könnten, niemand nimmt uns die Schuld an unserem (Teil)versagen. Mit Auschwitz stehen wir vor der Ewigkeit schrecklich allein. Es gibt kein Hinausreden. Wir können weder Gott noch Teufel bemühen als externe Erklärungsfaktoren. Das Grausame ist geschehen, und in ähnlicher oder anderer Gestalt kann sich dieser Abgrund wieder und wieder in der Geschichte auftun. Wir können nur wieder und immer wieder analysieren, wieso Menschen in diesem totalitären System anfänglich gut und gern gelebt und gewirkt haben, wieso sie die Verbrechen nicht hinreichend kritisiert und gebrandmarkt haben, letztlich können wir die Frage nicht hinreichend beantworten, wieso sie den falschen Göttern gefolgt sind. Sie haben damit die werdende Gottheit verraten.

Folie AP 11

Feinabstimmung der elektromagnetischen Wechselwirkung
Atome wären dicht aneinander gepackt und nicht mehr zu sehen
?
Wenn das Pauli Prinzip nicht gelten würde, würden wir sofort unsichtbar, da alle Zwischenräume zwischen den Atomen wegfallen würden
Das Pauli Prinzip schreibt den Elektronen bestimmte Energieniveaus zu und schließt aus, dass zwei Elektronen den gleichen Quantenzustand einnehmen
Das hat erhebliche Konsequenzen für die Stabilität der Materie
Periodensystem der Elemente
was uns im Chemieunterricht langweilt, ist fundamental für unser Leben: wenn die erste Schale zwei Elektronen erhält, ist sie besetzt
wäre es anders, würden die (-) Elektronen der oberen Schalen sich alle auf der ersten versammeln und von dort aus in den positiv geladenen Kern stürzen
statt Ordnung Chaos

Folie AP 10

Die elektromagnetische Wechselwirkung
bindet die Elektronen auf bestimmten Energieniveaus an den Kern
Elektronen
Ohne Leere kein Leben
Kern
Wenn ich mir das Proton des Wasserstoffatoms etwa so groß denke wie einen Stecknadelkopf, würde das Elektron eine Bahn durch viele europäische Länder beschreiben, also...
Das Wesen der Materie ist Leere
Preisfrage Wie kann ich einen Menschen unsichtbar machen ?

Folie AP 12

Feinabstimmung der elektromagnetischen Wechselwirkung = Sommerfeldsche Feinstrukturkonstante

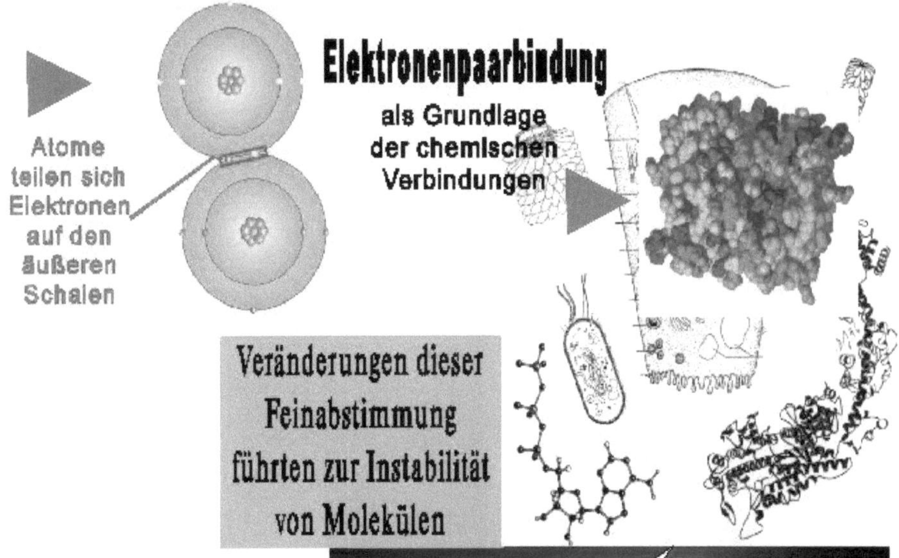

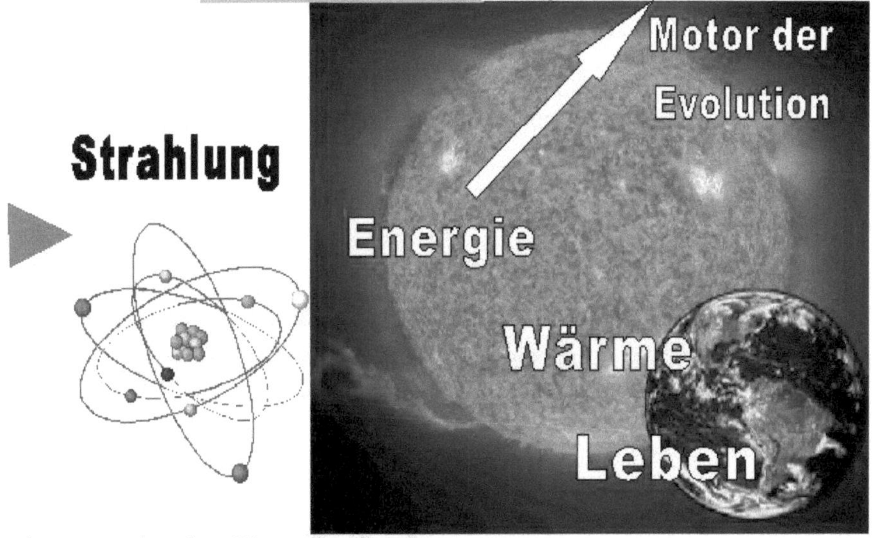

ist auch ein Ergebnis der elektromagnetischen Wechselwirkung

Folie AP 13

Feinabstimmung der elektromagnetischen Wechselwirkung = Sommerfeldsche Feinstrukturkonstante
hat sogar Auswirkungen auf die Struktur des Universums
wäre die Sommerfeldsche Feinstrukturkonstante nur etwas kleiner
wäre sie etwas größer
gemessener Wert
Sonne
(c) ESA
gäbe es keine Sterne mit mehr als 0,7 Sonnenmassen
Leben
gäbe es keine Sterne mit weniger als 1,8 Sonnenmassen
die für das uns bekannte Leben erforderlichen schwereren Elemente könnten nicht entstehen
Leben
da große Sterne schneller verglühen, würden die langen Zeiträume für die Evolution des Lebens fehlen
Leben

Qualität von Information in der Natur

Beispiele für physikalische Zustände mit wenig Informationsgahalt

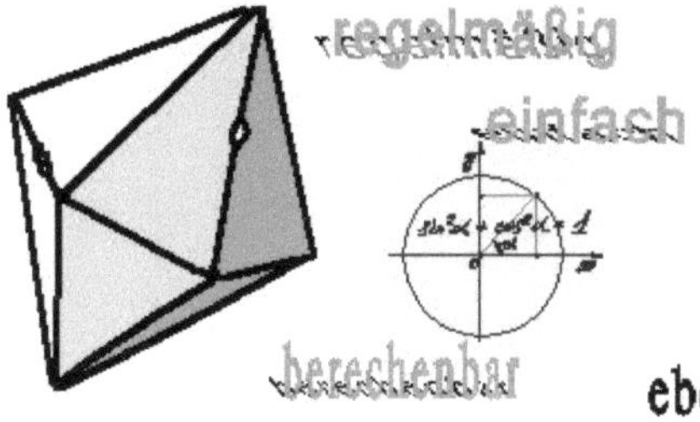

Ein Kristall ist einfach zu beschreiben: Kristallform + Gitterabstand

ebenso der Lauf der Planeten als Zusammenwirken zweier physikalischer Größen: der Gravitation und der Massenträgheit

Beispiele für physikalische Zustände mit hohem Informationsgehalt aber unterschiedlicher Qualität

Chaotische Komplexität

entsteht z.B. dann, wenn sie Parfüm in einem Raum versprühen. Die Duftmoleküle verteilen sich. Um das phys. System zu beschreiben, müsste man Ort und Impuls eines jeden Moleküls anführen. Es entsteht ein Informationsvolumen von ca 10^{23} Bits

... das aber keinen Informationswert hat

Organisierte Komplexität

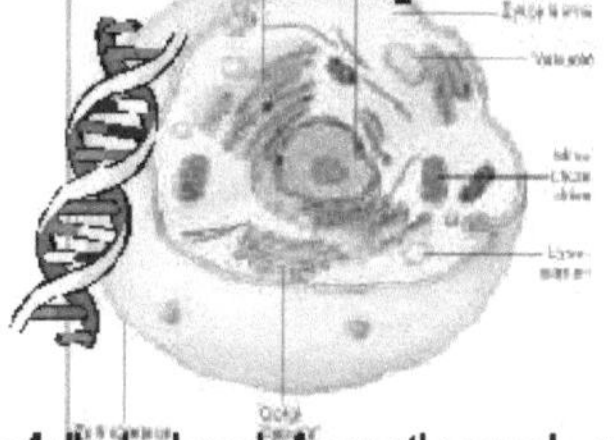

ebenfalls hohes Informationsvolumen

das bei der Selbstorganisation der Materie seine Qualität ändert

→ Konservierung

→ Variabilität

→ Lernen

Folie AP 7c

Unser Universum gehorcht jedoch dem
Prinzip der maximalen Vielfalt
Urknall
Nichts
Energie
Quarks
Gluonen
gleichförmig
einfach
der Kosmos gewinnt
Struktur
Materie
Protonen
Neutronen
Leptonen
H
He
Galaxien
Sterne
N O
C Fe
Planeten
Evolution
des Lebens
E=MC²

Die Gottesvorstellung im philosophischen System Hegels

Die Welt ist nicht einfach Gott,
wohl aber Gott in seiner Entwicklung
Gott als ewig in sich selbst zurückkehrender Prozess

Geist und Materie

C.F.v.Weizsäcker, H.v.Ditfurth u.a.

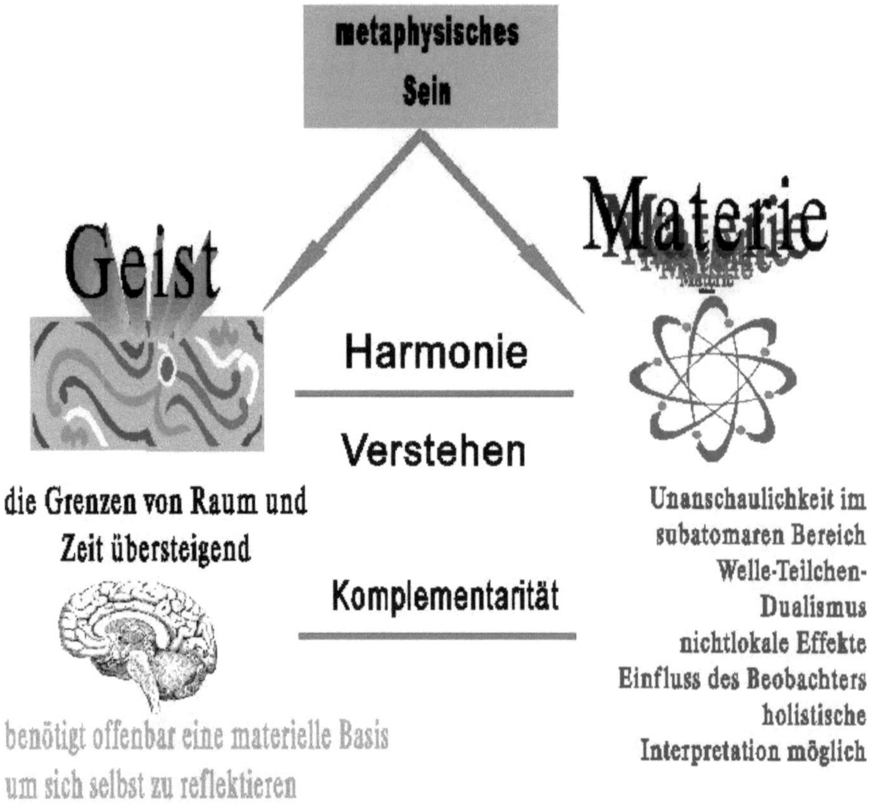

Geist und Materie stehen sich nicht mehr getrennt gegenüber, sondern werden verstanden als zwei Aspekte des einen Seins

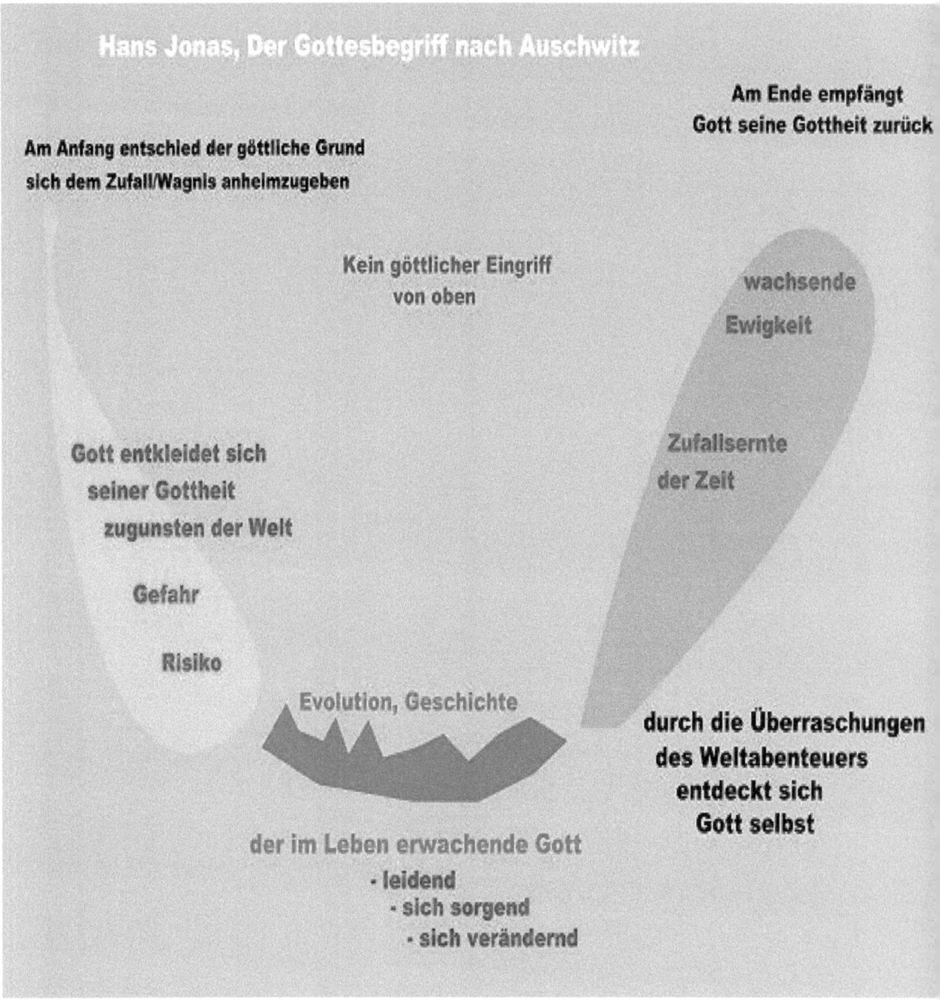
Hans Jonas, Der Gottesbegriff nach Auschwitz
Am Ende empfängt Gott seine Gottheit zurück
Am Anfang entschied der göttliche Grund sich dem Zufall/Wagnis anheimzugeben
Kein göttlicher Eingriff von oben
wachsende Ewigkeit
Zufallsernte der Zeit
Gott entkleidet sich seiner Gottheit zugunsten der Welt
Gefahr
Risiko
Evolution, Geschichte
durch die Überraschungen des Weltabenteuers entdeckt sich Gott selbst
der im Leben erwachende Gott
- leidend
- sich sorgend
- sich verändernd